PAULO MARANHÃO

O ÚNICO LIVRO QUE TODO EMPRESÁRIO PRECISA LER

COMO FAZER A EMPRESA GIRAR EM TORNO DE VENDAS, EVITAR AS DÍVIDAS E INOVAR CONTINUAMENTE

Diretora
Rosely Boschini

Gerente Editorial
Marília Chaves

Assistente Editorial
Juliana Cury Rodrigues

Controle de Produção
Karina Groschitz

Preparação
Vânia Cavalcanti

Projeto Gráfico e Diagramação
Know-how Editorial

Revisão
Know-how Editorial

Capa
Thiago Barros

Impressão
Intergraf Ind. Gráfica Eireli

Rua Pedro Soares de Almeida, 114,
São Paulo, SP — CEP 05029-030

Telefone: (11) 3670-2500

Site: www.editoragente.com.br

E-mail: gente@editoragente.com.br

Este livro foi impresso pela Gráfica Intergraf
em papel norbrite 66,6g.

Dados Internacionais de Catalogação na Publicação (CIP)
Angélica Ilacqua CRB-8/7057

Maranhão, Paulo
O único livro que todo empresário precisa ler : como fazer a empresa girar em torno de vendas, evitar as dívidas e inovar continuamente / Paulo Maranhão. - São Paulo : Editora Gente, 2017.
160 p.

ISBN 978-85-452-0195-3

1. Negócios 2. Sucesso nos negócios 3. Vendas I. Título

17-1055 CDD 650.1

Índice para catálogo sistemático:

1. Sucesso nos negócios 650.1

DEDICATÓRIA

Ao meu pai, Paulo Maranhão, que, mesmo
tendo me deixado tão cedo, me inspirou e
me fez sonhar, fazendo-me ter certeza
de que seria tão grande quanto ele.

AGRADECIMENTOS

Sou um homem de sorte e agradeço a Deus todos os dias pelos meus seis filhos: Victor, Igor, Enzo, Ian, Marina e a pequena Alice Maranhão. Vocês são minha continuação, minha razão de viver e minha maior inspiração para seguir em frente.

Minha mãe, Iraci Rios, e meu irmão, Jaime Maranhão, juntos enfrentamos momentos muito difíceis e de muitas privações. As lembranças daquela época ainda vivem dentro de mim e moldam o homem que sou hoje. Sinto saudades de toda a minha infância e juventude ao lado de vocês dois.

Katia Maranhão, meu primeiro amor, que conheci aos 17 anos, obrigado por ficar ao meu lado, me apoiar em tudo o que faço e pelos quatro filhos maravilhosos que me deu. Tenho muito orgulho dos homens que eles estão se tornando graças principalmente a você.

Gabriela Nunes, por ter me apoiado no momento em que mais precisei, por ter cuidado de mim quando eu nem tinha uma cama para dormir e principalmente pelas duas filhas maravilhosas que me deu. Elas me fazem experimentar o mais verdadeiro amor e fazem meus dias serem especiais.

Rafa Prado, meu mentor, amigo, sócio e maior incentivador para que escrevesse este livro.

Yoshio Kadomoto, criador do Leader Training, que ao lado da sua esposa, Mari, transforma a vida de pessoas por meio de seus treinamentos de altíssimo impacto. Graças ao trabalho maravilhoso deles e de sua equipe, pude perdoar meu passado e acolher a criança que tenho dentro de mim.

Meus ídolos e mentores Tony Robbins, com quem pude estar pessoalmente em Nova York e que me pôs em seus ombros para me erguer e fazer enxergar além do que eu enxergava, e Paulo Vieira, maior *coach* do Brasil e talvez do mundo, autor do prefácio deste livro, que com seu treinamento Método CIS transformou minha visão do mundo, me ensinando a ganhar energia e me dando sentido para seguir em frente, mesmo quando o desânimo tenta me abater.

Doutor Lair Ribeiro, meu primeiro mentor, que, ao lado de sua esposa, Lilly Ribeiro, me mostrou, com todo o amor do mundo, novos caminhos, me fazendo enxergar tudo aquilo em que eu podia melhorar como pessoa.

Doutor Naif Thadeu, meu médico nutrólogo, que me ensinou a aumentar minha energia e rendimento, através da alimentação e suplementação corretas.

Edilson Torre e toda a equipe da Dalla Soluções, Donato Pina e toda a equipe da Mediabiz, grandes amigos, parceiros e apoiadores. Sem vocês os meus últimos anos teriam sido muito mais difíceis.

Doutora Fabiana Cardoso, Doutora Simone Beccari, Doutor Stefenson Pinto e Doutora Vanessa de Andrade Pinto, queridos advogados que cuidam de mim, dos meus contratos e das minhas empresas.

Verena Zago, Donato Medeiros e Carlos Cruz, grandes profissionais da televisão brasileira e verdadeiros gênios da publicidade que abriram portas importantíssimas na minha carreira.

Edson Souza, Dori Dias, Jacinto Willy, Paulo Afonso, Raphael Botelho e Elizeu Dias, profissionais dedicados e experientes do ramo imobiliário que dão vida aos meus projetos e fazem da Edile Incorporações Empreendimentos Imobiliários uma empresa de sucesso.

Toda a diretoria da Upsell Consultoria Digital: Felipe Oliveira, Aline Lima, Edson Brasileiro, Aparecido Ricardo, Jean Rubens e Ronie Paulo, verdadeiros responsáveis pelo sucesso das empresas que assessoramos e para as quais damos consultoria estratégica.

Minha secretária, Girlene Silva (Gi), que há 10 anos cuida de mim e faz minha vida mais prática e fácil.

Meus companheiros de jornada Amanda Passavante, Andressa Kerber, Denis Bai, Dennis Okada, Derek Melo, Elton Oshiro, Fernando Alves, Flavio Paschoa, Jair Vianna, Jonathas Freitas, Junior Crocco, Marcio Giacobelli, Marco Maciel (Marcão), Marco Scavassini, Marcus Kummer, Nata Medeiros, Pyero Tavolazzi, Pyong Lee, Rafael Dahan e Renata Adriane.

Meus treinadores que viraram grandes amigos: Bruno Pinheiro, João Carlos Gondim, Marcelo Germano, Rodrigo Cardoso e Samuel Pereira e também todos os amigos dos grupos MPG, Influence e Powermind, por sempre me empurrarem em direção ao sucesso.

Minha querida Rosely Boschini, Roberto Shinyashiki, Marília Chaves, Danyelle Sakugawa, Fabrício Santos, Juliana Rodrigues e toda a equipe da Editora Gente, por tornar esse sonho possível!

E, finalmente, a todos os meus alunos, mentorados, fãs e seguidores. Vocês todos são a prova do milagre de Deus na minha vida.

SUMÁRIO

PREFÁCIO

Em meus anos de experiência, entrei em contato com milhares de pessoas, e a maioria delas não sabe o que está fazendo de errado dentro da própria empresa. Paulo Maranhão tem o dom de perceber exatamente o que é preciso fazer quando encontra qualquer empresário pela primeira vez.

Seu maior trunfo, como ele mesmo diz, é "ler o mundo". O que, para a maioria das pessoas, parece difícil: ler o mercado, entender os anseios do cliente e atingi-los de modo eficaz e certeiro.

Todas essas habilidades vieram da sua experiência de vida. Ele ganhou muito dinheiro, mas passou pelo pior pesadelo de qualquer empresário ao ir à falência. No entanto, usou essa experiência como aprendizado e tornou-se pioneiro do *e-commerce* no Brasil, ajudando empresas, que faturam milhões, a estruturar seus negócios. Paulo Maranhão é o significado nítido de resiliência e sucesso.

Desde que nos conhecemos, ele me ensina sempre a enxergar o mundo dos negócios de um modo diferente, a entender novas formas de ganhar dinheiro e a vender qualquer coisa para qualquer pessoa com espontaneidade e transparência nas negociações.

Muitas pessoas passam a vida toda seguindo uma mesma fórmula, e é difícil se desprender dessas amarras, mesmo que não estejam dando resultado. É necessário quebrar os padrões e ler o mundo em toda a sua complexidade. Quando escutamos o mundo, o sucesso vem.

Você, empresário de qualquer porte ou empreendedor com uma ideia na cabeça e um sonho no coração, tem nas mãos o manual de um dos maiores especialistas no assunto. Liberte-se de suas crenças antigas e aprenda o que ninguém conta sobre negócios.

Boa leitura e mãos à obra!

Paulo Vieira

Presidente da Febracis, criador do Método CIS®
e autor do livro best-seller *O poder da ação.*

INTRODUÇÃO

Desperte o vendedor que há dentro de você

Atualmente vivo uma situação que se repete com frequência, depois de conhecer a minha história, um empresário ou empresária me procura em situação de desespero para que eu o ajude a alavancar os resultados de sua companhia. Antes de tudo, você precisa saber: já construí algumas empresas e já passei por um processo de falência completo, depois do qual demorei mais de 9 anos para recuperar meu crédito – e você vai entender mais sobre isso ao longo deste livro.

Ao conversar com aqueles empresários que me procuram, vejo a angústia em seus olhos, angústia que conheço muito bem. Muitos estão prestes a fechar suas empresas porque não sabem mais o que fazer para que as coisas comecem a dar certo. Já tentaram mil soluções, mudaram processos, demitiram funcionários, e nada melhora. O desespero dos empreendedores nessa situação é enorme – e é totalmente compreensível que eles se sintam assim.

O interessante é que, ao analisar o que está acontecendo com essas companhias, o problema acaba quase sempre sendo o mesmo: uma grande ineficiência nas vendas; mais do que uma ineficiência nas vendas, uma ineficiência em entender o papel das vendas em todos os departamentos da empresa e principalmente na cabeça de seu fundador.

Vários empreendedores têm produtos ou serviços excelentes, mas encontram muita dificuldade para vender aquilo que produzem. Já vi gente excelente, cheia de ideias boas na cabeça, falindo porque não conseguia vender. E preciso ser sincero: sem vendas, nada acontece em uma empresa; absolutamente nada, porque não entra dinheiro algum.

Essa é uma questão generalizada no mundo dos negócios – e já auxiliei muita gente a reverter quadros assim e a ganhar muito dinheiro. Movido pelo objetivo de ajudar mais pessoas é que resolvi escrever este livro. O meu propósito é que você também consiga alavancar o seu negócio – e as suas finanças – por meio das vendas.

Muita gente acha que não tem o dom de vender e até sente vergonha de se enxergar como vendedor, pois quero deixar aqui este registro: essa mentalidade é falaciosa. Basta responder a uma pergunta muito simples: você já vendeu hoje? Pense bem. Talvez o seu primeiro impulso seja dizer que não vendeu nada porque não é um vendedor. Será que tal percepção está correta? Provavelmente não. Todos nós atuamos, em maior ou menor grau, como vendedores. E não importa se você é um dentista, um advogado, um funcionário de empresa que trabalha bem longe da área comercial ou um empreendedor lutando para fazer seus negócios crescerem – vendas estão em todos os lugares. Pense, por exemplo, na roupa que você escolheu para vestir ontem. Mesmo que não tenha percebido, você tirou aquela peça do armário porque queria passar uma impressão específica sobre quem você é. Se precisou participar de uma reunião importante, escolheu aquela roupa que o faz se sentir autoconfiante e que transmite uma impressão de competência para o seu chefe ou clientes. Se foi a um primeiro encontro com uma pessoa interessante, escolheu um modelo que aumenta seu poder de sedução, é claro. E por que você fez essas escolhas? Por um motivo muito simples: você queria vender a sua imagem! Todos nós vendemos. É assim que as vendas aparecem nas nossas vidas. Esse fato não é perceptível, ou o é de forma distorcida, porque, na maioria das vezes, as pessoas não dão a justa importância às vendas, e, desse modo, acabam perdendo oportunidades incríveis de enriquecer e de se tornar donas de um negócio próspero. Talvez essa seja a mesma situação com que você se debate no momento – problema que nós vamos solucionar juntos ao longo das páginas seguintes.

Ajudá-lo a compreender a importância de um comportamento de vendedor foi o que me inspirou a escrever esse livro. Acredito que as vendas são uma multiplataforma. Pode parecer uma definição de difícil compreensão no começo, mas, no fundo, ela é muito simples: as vendas estão presentes em todas as áreas da empresa e são as responsáveis por formar uma cultura vencedora e por manter as companhias sempre à frente da concorrência, crescendo constantemente. Em outras palavras, as vendas são a cola que une todos os aspectos de uma empresa de sucesso. Não adianta todas as áreas da empresa estarem bem estruturadas se ela não consegue vender. Não adianta você trabalhar em longas jornadas para colocar a sua empresa de pé se não dedicar esforços para vender o que você produz. Não adianta você ser a pessoa mais inovadora do mundo se o seu cliente não compra o seu produto.

As vendas englobam tudo. Mesmo quando falamos sobre inovações e novas plataformas tecnológicas, essas novidades só existem por causa das vendas! As mudanças existem simplesmente para facilitar e agilizar os processos de comercialização. Por isso, não me assusto com as mudanças constantes que fazem do mundo o que o mundo é. As gerações, os relacionamentos, os produtos e as pessoas se transformam constantemente, mas o que existe desde que o mundo é mundo – e que continuará existindo para sempre – é a vontade de comprar e de vender. Essa é a única previsão que posso fazer com tranquilidade.

Agora, você deve estar se perguntando: quem é esse tal de Paulo Maranhão que está me falando tudo isso? Por que ele tem competência para escrever um livro sobre vendas? Então, por favor, quero me apresentar. Sou paulistano, tenho seis filhos e vim de baixo, de uma família muito pobre – mas muito pobre mesmo, cheguei até a passar fome (de verdade) quando era criança. Comecei a trabalhar aos 10 anos e aos 16 já era um grande vendedor, me tornei office-boy porque essa foi a forma que encontrei para entrar no mundo corporativo e queria ganhar dinheiro. E, desde então, não parei mais. Eu me tornei um dos maiores especialistas em *e-commerce* no Brasil e ajudei muita gente a enriquecer – as companhias para as quais prestei consultoria chegaram a faturar mais de 200 milhões de reais. Hoje, à frente da Upsell, auxilio empresários a turbinar seus modelos comerciais e ajudo gente que, como você, quer ganhar muito dinheiro. Nas páginas seguintes, contarei como cheguei aonde cheguei. Claro que não foi fácil. Não foi mesmo. Tanto que, no meio do caminho, tive minha falência decretada, me fazendo passar por um duro processo que duraria anos a fio e acabou levando tudo que eu tinha – até meu nome. Mas, graças às vendas, consegui me reinventar, me reerguer e chegar até aqui.

Para mim, vender é um comportamento. É uma atividade que qualquer um pode exercer e que transforma parte do nosso modo de ser. Por isso, não espere nesse livro um apanhado de técnicas de vendas, um passo a passo do que e como fazer. Há outros livros que falam sobre isso, e essas técnicas mudam do dia para a noite. O meu objetivo é levá-lo a compreender que somos todos vendedores – e que você também é, mesmo que ainda não tenha se dado conta disso. Juntos, vamos despertar o vendedor que há dentro de você. Sim, há um vendedor dentro de você pela razão suficiente de que há um vendedor em cada um de nós. Esse é o primeiro passo da virada do seu negócio. Pronto para começar?

Posso garantir que você não terminará este livro da mesma maneira que começou. O meu intuito com este livro é transformar ou revelar não somente a sua habilidade de vendas, mas também o seu modo de enxergar o mundo dos negócios.

Mudanças podem acontecer rapidamente se você tiver foco e determinação. Da mesma forma que alguns fatos traumáticos podem transformar nossa vida da noite para o dia, outros eventos positivos podem fazer uma empresa à beira da falência começar a crescer e a prosperar em algumas semanas, apenas mudando a forma de olhar a situação.

Gosto de usar uma história que Abílio Diniz conta, segundo a qual ele era uma pessoa muito arrogante, tão arrogante que não acionava nem a seta do carro quando dirigia porque ele "não precisava dar satisfação para ninguém". Quando foi sequestrado, teve certeza de que morreria. E, ao ser liberto do cativeiro, ele se tornou uma pessoa muito mais humana e sua vida foi transformada da noite para o dia.

Podemos citar exemplos mais comuns na vida de um empresário. Imagine-se tendo contratado um gerente e descobrir que ele estava roubando a sua empresa? Depois disso, fica muito difícil confiar em novos empregados, e a sua cabeça muda completamente com um único evento.

O principal é você acreditar na mudança para o bem. Não são somente coisas ruins que mudam a nossa vida tão rápido. Se você tiver fé e confiança no que lerá nas páginas seguintes, transformações virão!

1

O ciclo do desespero

Vou contar uma história aqui que é a de milhares de empreendedores do Brasil – e talvez até se pareça com o que você está vivendo hoje. Esse empreendedor, vamos chamá-lo de Bruno, abriu o seu negócio porque sonhava em ser dono da própria trajetória. Antes, trabalhara por alguns anos em empresas, com a tranquilidade da carteira assinada, mas não se sentia feliz subordinando-se aos outros. Tudo o que ele almejava era ser o próprio chefe e trabalhar com aquilo que mais amava: informática. Exímio em consertar computadores e *smartphones*, Bruno achou que oportunidade não faltava, afinal, o uso dessas tecnologias disseminara-se, tornando-se corriqueiro. Ele, então, se encheu de coragem, pediu demissão e, com uma quantia em dinheiro que economizara por anos, abriu a sua própria empresa de *help desk*. Investiu parte daquela soma em um site bem bonito com seus contatos e informações profissionais, alugou um ponto bacana na sua cidade, contratou algumas pessoas para ajudá-lo a atender clientes e se lançou no mercado. No começo, a euforia com a sensação de novidade acabava mascarando o fato de que o número de pessoas que procuravam a empresa de Bruno era muito baixo. Ele estava tão feliz em empreender que não conseguia enxergar que sua loja ficava vazia a maior parte do tempo e acreditava que tudo era uma questão de tempo. "Os clientes surgirão naturalmente quando conhecerem o meu trabalho", era o pensamento ao qual Bruno se agarrava. O problema é que os dias passavam, e nada. A qualidade do trabalho, realmente, era excelente: não havia um técnico de informática mais capacitado do que Bruno no mercado de sua cidade. Mas parece que isso não adiantava ou bastava. Os funcionários estavam ociosos e desmotivados porque não havia muita coisa para fazer. Os únicos clientes fiéis eram familiares e amigos de Bruno – mas a clientela não crescia, os clientes simplesmente não apareciam. Bruno tentava manter a calma. Pelas suas contas, haveria dinheiro para aguentar nesse ritmo por mais alguns meses. As coisas iam melhorar, ele pensava. Mas não melhoravam. Será que era a culpa da crise? Será que era culpa do ambiente da loja? Será que era culpa dos funcionários que não se mexiam para ajudá-lo? Será que era culpa dele mesmo? As perguntas ficavam martelando na cabeça de Bruno todo dia, o dia todo. À noite, ele não conseguia dormir, ficava remoendo a sua situação. Por que estava dando tudo errado? Ele tinha um ponto bom na cidade e sabia que era competente – conseguia entregar os pedidos dos clientes até antes do prazo, e até o elogiavam por isso... Mas será que era tão competente assim? A dúvida surgia sempre. As noites insones começaram a cobrar seu preço. Bruno estava cada vez mais abatido. As olheiras marcadas demonstravam que ele não conseguia dormir. Sua mulher dizia que não era possível conversar com ele porque estava dispersivo e só respondia com monossílabos. Ela tinha razão. Bruno nem sequer a ouvia. Não porque não se interessasse, nada disso, mas simplesmente não conseguia se concentrar em mais nada, apenas na sua empresa que não faturava. O sonho do empreendedorismo estava se desmanchado no ar, ele percebia isso com toda a clareza e tristeza. Só não entendia a razão de tudo dar tão errado. Fazendo mais contas, Bruno percebeu que não poderia mais manter os seus funcionários e precisou demiti-los. Os custos seriam altos no curto prazo, mas ele pensou que as coisas se ajustariam se tudo dependesse apenas dele. Não tinha dinheiro em caixa para arcar com as demissões, então pediu um empréstimo no banco. Sua mulher foi contra, preferia conseguir o dinheiro com alguém da família, mas Bruno não aceitava a alternativa, pois acreditava que isso fazia terceiros parecerem responsáveis por um problema que era só dele. Agora ele acreditava que, dependendo apenas do próprio esforço e sem os custos dos funcionários, as coisas melhorariam. Claro que sim! Ele era muito competente, todo mundo dizia. Trabalhar sozinho marcaria a guinada rumo ao sucesso. Para dar conta das tarefas extras, ele começou a acordar ainda mais cedo. Chegava na loja antes de amanhecer para trabalhar e ficava lá até muito tarde. Mal via a sua mulher. Passava longas horas analisando números e dados para identificar e entender quais erros estava cometendo. Não conseguia descobrir. A dívida no banco só aumentava. O desespero de Bruno também. Ele tinha caído no ciclo vicioso dos empreendedores que fracassam. Sabia que, em pouco tempo, seria forçado a fechar a empresa e voltar a procurar um emprego. Bruno nunca se sentiu tão desesperado em toda a sua vida.

Essa história é a história de muitos empreendedores no Brasil que passam pela fase da euforia quando abrem um negócio; depois, encontram as dificuldades; investem em tudo para salvar a empresa; e, no final, só sentem desespero porque o dinheiro não entra. Converso com muitos executivos desanimados, desesperados, presos à barreira do faturamento. E não é por falta de esforço. Pelo contrário, tentam muito. A maioria acorda muito cedo para tocar seus negócios e não para antes de tarde da noite. Eles não pensam em outra coisa a não ser melhorar os resultados. Dedicam-se loucamente aos números e tentam, de todo jeito, entender por que as contas nunca fecham, por que os objetivos nunca são alcançados e por que o faturamento não cresce. Embora passem dias analisando os indicadores, eles simplesmente não conseguem perceber onde está o erro. E começam a se perguntar: "será que o produto é ruim?", "será que a minha equipe é ruim?", "será que não sirvo para empreender?", "será que nunca sairei do atoleiro das minhas dívidas?", "será que nunca progredirei com o meu negócio?", "será que devo desistir de tudo?".

O desespero vai tomando conta do cotidiano. Também, pudera! Quando estamos sem perspectivas de melhoria, tudo parece terrível. Entramos em um ciclo vicioso de baixa autoestima, medo, ansiedade, estresse que pode nos paralisar. Assim, não conseguimos enxergar a saída do atoleiro, embora ela esteja mais perto do que parece. Quando sentimos essa paralisia, ficamos fazendo sempre as mesmas coisas, pensando sempre nas mesmas soluções, tomando as mesmas decisões.

Por que eu posso te ajudar

Você pode achar que está em um momento muito complicado da sua existência – e talvez esteja mesmo. Por isso, não quer ouvir conselhos de qualquer um; quer ouvir conselhos de quem já enfrentou situações difíceis. Eis um assunto em que sou especialista: passar por momentos muito delicados. Não digo por autolouvação, mas simplesmente porque a minha vida foi muito difícil. Nasci em São Paulo, em uma família de quatro irmãos. Minha mãe é baiana, meu pai pernambucano. Os dois vieram muito jovens para São Paulo tentar ganhar a vida e se conheceram. Logo cedo, com seu esforço, meu pai conseguiu comprar um apartamento em um prédio de classe média alta na Bela Vista, bairro central da cidade, próximo à Avenida Paulista. Tudo ia aparentemente bem até o nascimento da minha irmã caçula, quando meus pais brigaram e meu pai nos abandonou. Minha mãe ficou sozinha com quatro crianças. Embora tentasse, minha mãe não tinha estrutura para nos criar. Por isso, mandou minhas irmãs para morar em Salvador com minha avó, e meu irmão e eu fomos para um colégio interno em Mairiporã, no interior de São Paulo. Ficamos no colégio, pois ela não tinha condição de nos sustentar, e, assim que teve condições financeiras, voltou para nos buscar. No caminho de volta de Mairiporã para São Paulo, nos contou que meu pai tinha falecido há muito tempo. Isso foi meio chocante para mim, pois ele tinha morrido há muito tempo e e ninguém tinha nos contado.

Com a morte do meu pai, sem ter para onde ir, continuamos morando no apartamento da Bela Vista. Minha mãe não tinha dinheiro para nada. Não pagávamos condomínio, nem água, nem luz – o zelador, vendo a situação, era muito bondoso conosco e fazia ligações clandestinas para que tivéssemos pelo menos o básico. Nós éramos muito pobres, faltava até comida na geladeira. Mas tínhamos essa condição vivendo em um ambiente de classe média alta, em que todos os meus amiguinhos viajavam e ganhavam presentes. Eu nem comida tinha em casa. Em razão das nossas dificuldades financeiras, tive de morar um tempo com o meu avô em Diadema, na Grande São Paulo. Lá, a condição de vida era melhor do que na casa da minha mãe: não faltavam comida nem roupas. Mas eu precisava me virar se quisesse alguma coisa diferente, como uma revistinha, um chocolate ou um brinquedo. Para isso, a opção era recolher ferro-velho, ocupação dos meus tios. Então, eu, com uns 10 anos de idade, acordava às 5 da manhã, pegava a carrocinha e saía com meu irmão procurando ferro-velho para vender. Nós íamos até no lixão de Diadema procurar coisas que nos rendesse um dinheirinho.

Por ter tido uma vida tão difícil e sem dinheiro, fui obrigado a batalhar desde cedo. Aos 10, já trabalhava e não parei mais. Na adolescência, a minha grande diversão era ficar rodando o centro da cidade com meus amigos para jogar nos videogames das lojas de eletrodomésticos. Andando por lá, entrei em uma empresa de recrutamento, dessas que cadastravam currículos para oportunidades futuras. Coloquei meus dados, sem muita pretensão, pois ainda estava terminando o colégio, mas fui chamado para ser office-boy do Banco Nacional. No dia 1º de agosto de 1988, quando completei 16 anos, tive assinada a minha carteira de trabalho. O banco tinha a sede administrativa na Avenida Paulista e era muito conhecido na época, por patrocinar o Ayrton Senna. Eu estava começando a minha vida profissional como office-boy, mas sempre fui muito bom de relacionamento. Gosto bastante de conversar com as pessoas. E, pela natureza do meu trabalho no Banco, acabei conhecendo muita gente, afinal, eu tinha acesso a todo o prédio e prestava serviços para diversos profissionais do banco. O trabalho era bom, uma porta de entrada incrível para alguém que, como eu, vinha de uma família complicada, sem muito dinheiro ou estrutura. Só que eu não pretendia ficar naquilo para sempre. Queria ganhar dinheiro para ser, no futuro, o meu próprio patrão. Comecei a pensar como faria isso.

Naquela época, o Brasil não tinha essa abertura econômica que existe hoje e não era fácil comprar produtos importados, que eram caríssimos. Isso porque nosso mercado era fechado, uma realidade que mudaria apenas a partir de 1990, quando o então presidente Fernando Collor de Mello criou algumas estratégias para que o país aceitasse importações. Antes disso, só tinha acesso a produtos importados quem era rico e podia viajar para os Estados Unidos e a Europa, ou quem conseguia ir ao Paraguai, o local mais acessível para comprar importados. É importante lembrar que, à época, viajar até esse país não era coisa de sacoleiro apenas. Ir ao Paraguai era chique e uma grande diversão para a classe média, que podia adquirir produtos de ótima qualidade e não deixava de ser, é claro, um passeio ao exterior, experiência sempre proveitosa também culturalmente.

Esse contexto me fez enxergar uma grande oportunidade de fazer dinheiro. Toda sexta-feira à noite, pegava um ônibus para ir até o Paraguai comprar os produtos mais desejados pelos brasileiros: *walkman,* relógios, tênis e perfumes de grife. Voltava para São Paulo, carregado, no domingo. E, na segunda-feira, ia para o escritório com o objetivo de... vender! Foi aí que comecei, de modo mais estruturado, a minha trajetória de vendedor e empreendedor. O negócio era muito estruturado e os clientes podiam me pagar em até três parcelas no cheque de acordo com as datas de recebimento dos respectivos salários. Com essa estratégia, fiz uma clientela fiel, que até me fazia diversas encomendas. Para ter lucro, meu cálculo era que seria necessário vender o produto pelo triplo do preço pelo qual eu comprava – era a margem necessária para pagar minhas viagens, ter capital de giro e ficar com algum dinheiro sobrando. Mesmo vendendo mais caro do que eu comprava, o preço compensava muito para a clientela, pois era muito difícil encontrar aqueles produtos por um valor razoável. Assim, de repente, eu estava com aquelas vendas vinte vezes o meu salário. Existia alguma coisa ali que eu não podia desperdiçar. Eu intuía que aquilo era só o começo.

Agora você deve estar se perguntando: "Mas por que ele está me contando toda essa história?". Ora, porque as vendas transformaram a minha vida. Se eu não tivesse começado a comercializar produtos do Paraguai na minha adolescência, não estaria aqui hoje. Tudo o que possuo, tudo o que aprendi eu devo às vendas. Contarei detalhadamente toda a minha história nas páginas seguintes. Se eu não soubesse como vender, não teria superado uma falência, dado a volta por cima e conquistado o que tenho hoje: a minha consultoria empresarial que ajuda companhias a ganhar muito dinheiro. Para você ter uma ideia, as empresas que eu assessoro faturam 200 milhões de reais ao ano. Construí meu império com base nas vendas e quero ajudá-lo a construir o seu.

Para mudar a sua vida, ter um negócio próspero e ser o seu próprio patrão, é preciso se transformar em um bom vendedor. Sem vendas, a máquina não roda. A questão é que muita gente me diz que não tem vocação para vender. Isso é uma bobagem. Como comentei na introdução, todo mundo está se vendendo o tempo todo – e você também! Tudo que você precisa é potencializar essa característica. Em vários casos, o que acontece é que as pessoas têm barreiras internas na hora de vender alguma coisa. Por que isso ocorre? Bem, cada um tem seu próprio gatilho que atrapalha as vendas, mas normalmente as pessoas têm medo ou vergonha de vender alguma coisa. Para lidar com esse aspecto que pode prejudicar muito o seu projeto de vida, é necessário, primeiro, entender por que você não se sente confortável vendendo.

Para mudar a sua vida,
ter um negócio próspero
e ser o seu próprio patrão,
é preciso se transformar
em um bom vendedor.

Renove quem você é

Quero compartilhar com você algo que transformou a minha vida e que tem me ajudado muito em minhas conquistas: a Declaração do Novo Eu.

Este texto foi escrito por Zig Ziglar, um palestrante e vendedor americano de muito sucesso que queria ajudar as pessoas a sê-lo também. Pensando sobre o que torna alguém bem-sucedido, ele chegou à conclusão de que a primeira pessoa com quem você conversa pela manhã influencia o resto do seu dia.

Se você, por exemplo, falar com um pessimista assim que acordar, agirá com pessimismo o dia todo. Essa influência se fará presente em todos os dias das nossas vidas. Por isso, o melhor a fazer é conversar com alguém que realmente valha a pena. E esse alguém é você mesmo. Só que, às vezes, nós nos sentimos meio para baixo e não conseguimos dar valor para quem somos realmente. Aí entra a Declaração do Novo Eu, texto que deve ser recitado diariamente, em frente ao espelho.

Faço isso todos os dias, e as palavras me ajudam a encarar os dias com otimismo e coragem.

Este é o primeiro exercício que proponho a você: transcreva o texto em uma folha de papel ou no computador, recite-o por 21 dias e decore. Isso dará a você muito mais força para empreender e conquistar seus sonhos.

Declaração do Novo Eu

Eu, ____,

sou uma pessoa íntegra, adoto boas atitudes e metas específicas. Tenho alto nível de energia, sou entusiástico, orgulho-me de minha aparência e do que faço.

Tenho senso de humor, sabedoria, visão, empatia e coragem de usar eficazmente os meus talentos.

Tenho caráter e sou bem informado. Minhas convicções são fortes e tenho uma autoimagem sadia, paixão pelo que é correto e sólida esperança no meu futuro.

Sou honesto, sincero, trabalhador. Sou duro, mas justo e sensível. Sou disciplinado, motivado e concentrado.

Sou ouvinte bom e paciente, mas ajo com determinação. Sou audacioso, conceituado e confiante, mas também humilde.

Encorajo, procuro o bem, sou um excelente comunicador e desenvolvo os hábitos do vencedor.

Sou aluno, mestre e pessoa de iniciativa. Sou obediente, leal, responsável, confiante e rápido na ação.

Tenho coração de servidor, sou ambicioso e bom jogador de equipe. Sou estimável, otimista e organizado. Sou coerente, atencioso e fértil em recursos.

Sou inteligente, competente, persistente e criativo. Sou consciente de saúde, equilibrado e sóbrio. Sou flexível, pontual e econômico.

Sou uma pessoa honrada e realmente grata pela oportunidade que a vida me deu. Essas são as maravilhosas qualidades do vencedor que nasci para ser. Hoje é o primeiro dia do resto de minha vida e ele é maravilhoso!

Em busca de mais energia

Não sou nutricionista nem educador físico, mas não posso escrever um livro que todo empresário precisa ler sem falar da importância de uma alimentação correta e de exercícios físicos para aumentar a saúde e a energia, tão necessários para seguir em frente com qualquer projeto de vida.

Depois de decretada minha falência, quando estava em casa deprimido, pesava 140 quilos e fumava três maços de cigarros por dia, eu não tinha energia para nada e sabia que, se não mudasse aquele estilo de vida, eu provavelmente não viveria muito tempo.

Os sonhos de uma vida melhor me fizeram buscar ajuda para parar de fumar, comecei a fazer regime e comprei uma esteira para fazer caminhadas enquanto assistia televisão. Em 2006 tracei a meta de participar e terminar a Corrida de São Silvestre, uma prova de 15 quilômetros muito famosa em São Paulo que acontece todo último dia de dezembro. Todos do meu convívio duvidaram que eu conseguiria. Mas eu consegui! Aquela foi minha primeira corrida.

Virei corredor amador profissional, como gosto de me classificar. De lá para cá, apenas em provas oficiais, já foram dez Corridas de São Silvestre, duas maratonas (provas de 42 quilômetros), 25 meias maratonas e mais de duzentas provas de 10 quilômetros.

Hoje cuido muito da minha alimentação e acredito que essa seja a chave para ter mais energia e prazer de viver. Acredito que qualquer empresário se beneficia muito de manter um estilo de vida saudável. Com isso ele melhora suas habilidades, faz menos esforço para lidar com o estresse do dia a dia e mantém a mente limpa e funcionando melhor.

2

Sonhos *versus* medos

Quem nunca sonhou em ter o próprio negócio? É uma ideia que está na cabeça de muitos brasileiros que se veem presos a empregos que remuneram mal e que, ainda por cima, não dão satisfação pessoal. O sonho do próprio negócio está disseminado na nossa população, incluindo os jovens. Uma pesquisa feita pela Firjan com pessoas nascidas entre 1980 e 1990 revelou que dois em cada três jovens querem ser empreendedores[1].

O sonho é muito bonito, mas a realidade nem sempre é fácil. Tanto que, no mesmo estudo, os pesquisadores

---

1 Disponível em: <http://www.firjan.com.br/lumis/portal/file/fileDownload.jsp?fileId=2C908A8F58D545C90158DEB35F2B1A68&inline=1>. Acesso em jul. de 2017.

descobriram que, embora 85,2% dos entrevistados tenham expectativa de atingir suas metas financeiras, apenas 67,1% realmente conseguem fazer isso, uma diferença de 18,1 pontos percentuais. E é nessa diferença entre expectativa e realidade que eu quero focar agora.

Quando as coisas não saem como o esperado – e a minha experiência me força a acreditar que esse percentual é maior do que o apontado na pesquisa da Firjan –, as pessoas se desesperam e não sabem para onde correr. A cada dia que passa, sem a empresa atingir as metas, o faturamento cai vertiginosamente. A motivação da equipe diminui hora a hora. O empreendedor fica perdido e começa a tomar decisões pouco inteligentes, todas de curto prazo, para tentar salvar os números. Sem pensar direito, faz alguns empréstimos que só piorarão a situação financeira. A equipe percebe que as coisas não melhorarão. Pouco a pouco, os funcionários vão embora em busca de outras perspectivas. Se nada for feito para resultar na reversão desse quadro, a empresa desaparecerá.

Esse é um cenário que, em razão da crise econômica pela qual o país está passando, os empreendedores e empresários estão enfrentando há algum tempo. Tanto que, em 2016, o comércio teve seu pior ano da história, de acordo com a Confederação Nacional do Comércio (CNC), fechando 108.700 lojas e demitindo 182.000 pessoas[2]. Todos os segmentos sofreram,

---

2 Disponível em: <http://economia.estadao.com.br/noticias/geral,comercio-fechou-108-7-mil-lojas-e-cortou-182-mil-vagas-no-ano-passado,70001663111. Acesso em jul. de 2017.

desde supermercados até lojas de informática. Também houve um aumento de 12,6% em empresas que pediram falência no ano de 2016, de acordo com um levantamento do Serviço Central de Proteção ao Crédito (SCPC) Boa Vista[3] – uma situação muito difícil de enfrentar e que eu mesmo já vivi e relatarei no próximo capítulo.

Não estou mostrando todos esses números para desanimar você. Não é isso. Apenas compartilho essa triste realidade como um aprendizado: empreender não é fácil. Exige mais do que esforço e dedicação. Exige aquele "algo mais" que alguns empreendedores possuem e que os leva a conseguir, chova ou faça sol, manter suas empresas de pé e ganhar dinheiro mesmo na crise. Qual é o diferencial desses felizardos? Não é sorte. É a capacidade de ler o cenário para reverter todas as ações da empresa para as vendas. Isso é o que diferencia uma empresa que desaparece de outra que cresce mesmo na crise.

Você tem medo de quê?

Mas vender não é uma coisa natural para todo mundo. Com os tópicos e o teste a seguir, você conseguirá ter noção das questões que o assustam na hora de comercializar serviços ou produtos. Descobrir o motivo pelo qual você fica travado é importantíssimo para lidar com o problema – e o primeiro passo para conseguir sair de uma situação de desespero.

---

3 Disponível em: <http://www1.folha.uol.com.br/colunas/mercadoaberto/2017/01/1848412-numero-de-empresas-que-pedem-falencia-no-brasil-sobe-122-em-2016.shtml>. Acesso em jul. de 2017.

Existem algumas razões mais comuns pelas quais as pessoas encontram dificuldades de vender. Queria compartilhar algumas delas aqui para que você consiga identificar com mais segurança as barreiras que precisa enfrentar. Isso será essencial para que, nas próximas páginas, você compreenda melhor o que deve fazer para solucionar esses problemas. Vamos aos perfis?

Aquele que sente medo de... ser rejeitado

Esse é um temor muito comum, sobretudo entre pessoas que não estão acostumadas a vender, fato muito frequente no empreendedorismo, afinal, muita gente abre um negócio porque é boa em produzir determinada coisa. Pode ser, por exemplo, o dono de uma floricultura que sabe fazer arranjos de flores lindíssimos, mas não sabe expor seu produto e convencer os clientes a comprar suas criações. Esse empresário tem competências técnicas incríveis para a sua profissão, todavia falha no aspecto comportamental. Ele não consegue vender porque tem medo de levar um "não, obrigado". Essa é uma frase que os vendedores ouvem muito – e é bom se acostumar com ela. Costumo dizer que, quando se faz uma proposta de vendas, o "não" já se tem de antemão. E isso é bom. Em primeiro lugar, porque já se sabe com qual situação o vendedor lidará em um primeiro momento: o cliente não quer comprar o seu produto. Consequentemente, nosso vendedor terá de sair da sua zona de conforto para despertar no cliente

Não estou mostrando todos esses números para desanimar você. Não é isso. Apenas compartilho essa triste realidade como um aprendizado: empreender não é fácil. Exige mais do que esforço e dedicação. Exige aquele "algo mais" que alguns empreendedores possuem e que os leva a conseguir, chova ou faça sol, manter suas empresas de pé e ganhar dinheiro mesmo na crise.

potencial interesse pelo que está oferecendo – o que, por si só, é um aprendizado enorme. Claro que, em alguns casos, mesmo depois de o vendedor usar todo o seu poder de persuasão, o cliente não se convence. E aí vem o sentimento de rejeição e o medo de passar por isso de novo. Mas esse sentimento é tóxico para os empreendedores que querem ser bem-sucedidos. O sucesso surge, em grande parte, pela maneira como lidamos com as rejeições. Passei por inúmeras – e logo as compartilharei com você – e sei que elas só me fortaleceram. Ter falido, ter ficado sem dinheiro para comer, ter perdido até o meu nome foram situações de rejeição extrema que eu enfrentei: a sociedade não queria mais saber de mim. Só que esses momentos foram cruciais para que eu me reinventasse e me tornasse um empreendedor melhor. A rejeição não deve ser vista como um problema, mas como uma oportunidade de crescimento.

Aquele que tem medo de... incomodar

Vendedores carregam um estigma de serem pessoas chatas. Por isso, empreendedores que nunca venderam na vida podem ter a impressão de que se tornarão inconvenientes ao tentar comercializar aquilo que estão produzindo. Esse medo acaba paralisando muitas pessoas e criando um ciclo vicioso que costuma ser fatal para qualquer negócio: o empresário não vende porque não quer incomodar – os clientes nem ficam sabendo que existe um produto ou serviço que eles adorariam consumir – o empreendedor perde dinheiro dia após dia e, no limite, é obrigado a fechar a sua empresa. Assim, quem tem de lidar de verdade com um incômodo enorme é o empreendedor que tinha medo de incomodar o cliente! Por isso, é importante que você saiba: a inconveniência está mais na sua cabeça do que na cabeça do seu potencial consumidor. Quando você tenta vender com a postura de que não quer incomodar, não consegue se conectar com a outra pessoa, e, consequentemente, perde a empatia – que é fundamental para criar laços de confiança.

Aquele que tem medo de... enfrentar o desconhecido

Esse medo é um dos mais perigosos que um empreendedor pode ter. Aqui não estamos falando apenas sobre vendas. Estamos falando sobre o que significa empreender. Abrir uma empresa é um exercício diário de enfrentamento do desconhecido, do novo, do imponderável. No mundo em que vivemos, em que tudo muda em uma velocidade impressionante, ter medo do desconhecido impossibilita o trabalho de um empreendedor. Claro que esse temor é compreensível. O ser humano não gosta de lidar com fatos e acontecimentos que o arranquem de sua zona de segurança. Mas é preciso lidar com esse sentimento se você quiser alcançar o sucesso. Os grandes empreendedores – e vendedores – são aqueles que compreendem que não têm todas as respostas e que entendem a necessidade de se jogar no novo para conquistar aquilo que tanto almejaram. Livrar-se do medo do desconhecido demanda certa persistência e a compreensão de que, sem se jogar no novo, não se conquista nada. Se eu tivesse medo de tentar, não teria começado a vender produtos do Paraguai na minha juventude, nem me reinventado inúmeras vezes – histórias que detalharei nas próximas páginas.

Agora que listei esses três grandes medos, peço que você reserve um momento para reflexão, pense seriamente em quais são os seus medos e faça o teste a seguir. Fique com essas respostas na sua cabeça. As suas fraquezas serão essenciais para criar uma ponte entre o ponto em que você está agora e o objetivo que você deseja atingir. É assim que construímos o sucesso: enfrentando primeiro nossos fracassos.

Por que eu sinto medo de vender?

Esse teste será muito importante para você. É o primeiro de alguns que faremos juntos nas próximas páginas. Só lhe peço uma coisa: seja totalmente sincero nas suas respostas. Você não está aqui para se enganar. Está aqui para crescer e enriquecer.

1. Quando você precisa vender algo (seja um produto ou uma ideia), qual é o primeiro sentimento com que você precisa lidar? Escreva-o.

____

____

____

____

____

2. Pense um pouco sobre esse sentimento e o analise objetivamente. Por que você acredita que se sente desse jeito? Explique os motivos.

____

____

____

____

3. De zero a dez (em que zero significa nenhuma prioridade e 10, prioridade máxima), qual é a prioridade de vender seus produtos ou ideias na sua vida? Circule abaixo.

0 / 1 / 2 / 3 / 4 / 5 / 6 / 7 / 8 / 9 / 10

4. O que falta para que você se sinta mais seguro no momento de vender? Liste três percepções.

A: ______________________________

____

____

____

____

____

B: ______________________________

____

____

____

____

C: ______________________________

____

____

____

____

5. De que maneira você acredita que as vendas mudarão a sua vida?

____

____

____

____

____

____

____

Se você acredita que vender transformará a sua vida, está pronto para me seguir nessa jornada em que desenvolverá um comportamento de vendedor e nunca mais terá medo de ganhar dinheiro com as suas competências.

3

Do sucesso ao fracasso

Toda vez que um empresário me procura, percebo que existem três principais razões pelas quais os negócios param de ir bem: não absorção das transformações tecnológicas de determinado setor, crises econômicas e má administração. Nós estamos vivendo um momento de crise séria no país que provavelmente não será resolvida no curto prazo e em uma época em que as transformações tecnológicas não cessam. Sendo assim, aquele empreendedor tem de lidar, mesmo que não queira, com dois fatores que influenciam bastante no fechamento de uma empresa. O terceiro fator, a má administração, depende mais do próprio empreendedor, mas, mesmo assim, é muito frequente – sobretudo por conta da inexperiência.

Unidos, os três fatores levam a um quadro terrível de perda de dinheiro do qual o empreendedor não consegue mais sair. Eu mesmo já passei por essa situação e é sobre isso que quero falar agora.

Aos 18 anos, eu já sabia que não seria empregado de ninguém. Estava seguro de que queria ter o meu próprio negócio – o que, de alguma forma, eu já tinha quando vendia os produtos do Paraguai para os meus colegas de trabalho. Por isso, resolvi deixar o Banco Nacional e tentar a sorte. Busquei a minha emancipação para poder obter um registro no Cadastro Nacional de Pessoa Jurídica (CNPJ), o que foi difícil, pois eu não tinha pai ou outra pessoa para me orientar e era necessária uma tonelada de documentos para conseguir o registro. Mas deu certo, e, assim, eu podia empreender. Então, entrei como sócio em um bar na Rua Augusta, no centro de São Paulo. Os negócios até que foram bem, e eu e meu sócio vendemos o bar por um bom preço. Ainda continuei no ramo da alimentação, em um restaurante que, à noite, servia apenas pizzas. Eu queria inovar e tentei vender pizza congelada para mercados próximos ao estabelecimento – acreditava que tinha que expandir, pois se ficasse só no restaurante eu seria engolido pelos concorrentes –, mas as coisas não saíram como planejei e abandonei o ramo da alimentação, um nicho em que é muito difícil empreender. Estávamos em 1994, e, para conseguir dinheiro, tive a ideia de trabalhar por um ano como taxista. Fiquei um ano certinho no táxi: de janeiro a dezembro. Foi muito bom porque eu tinha horário flexível e conseguia faturar. Naquela época, na cidade de São Paulo ainda não havia a lei da Cidade Limpa, que limita propaganda com *outdoors* e faixas, então eu passava por vários que diziam "acesse a internet". Aquilo me deixou curioso e me levou à pesquisa sobre o que era a tal da internet, algo que ainda estava nascendo no Brasil. Comprei meu primeiro computador, um dos mais caros da época, um DX4-100, da IBM, lembro bem da ocasião porque foi logo depois da morte de Ayrton Senna, que sofreu o acidente em 1º de maio de 1994, acidente a que eu, como muitos brasileiros, assisti pela televisão. Com o computador em mãos, descobri que, para se conectar à internet, era preciso comprar o acesso a um *Bulletin Board System*, ou BBS, como eram conhecidos. Esses sistemas funcionavam como servidores de internet e os usuários que tinham comprado o acesso podiam usar os BBS por algumas horas por dia. O acesso que eu tinha era bem caro e só me permitia usar a internet duas horas por dia. Quando comecei a descobrir o potencial dessa nova tecnologia, achei que era muito interessante e imaginei que isso, de um jeito ou de outro, daria dinheiro no futuro.

Sou autodidata e pesquisei muito sobre o assunto. Foi assim que descobri que um dos jeitos de ganhar mais dinheiro com a internet e a demanda por computadores pessoais era me transformar em um integrador de computadores – ou, simplesmente, montar computadores a partir de peças importadas. Isso saía mais barato para os clientes do que comprar um computador pronto e imaginei que a demanda por esse tipo de serviço tinha um potencial enorme de crescimento. Eu estava certo. Em três anos, eu tinha me tornado grande. Para você ter uma ideia, eu era o maior anunciante do caderno de informática do jornal *Folha de S.Paulo*, empregava 300 funcionários e era dono de um prédio comercial na Rua da Consolação, onde ficava a sede da minha empresa. Tudo isso com vinte e poucos anos. Era muita coisa mesmo. Eu ganhei bastante dinheiro, pude ajudar minha família e manter um nível de vida bem alto.

Mas aí surgiu um daqueles três fatores que podem arruinar a vida de um empreendedor: uma crise econômica mundial. Em 2001, a Argentina enfrentou uma crise política e econômica que prejudicou os negócios de computação brasileiros, inclusive o meu. E também em 2001, Nova York sofreu com o ataque terrorista que derrubou as torres do World Trade Center, e o mundo sentiu os efeitos do colapso americano. E eu fali.

Sem nome, nem dinheiro

Quando digo que fali, quero dizer que fali literalmente. Um dos meus credores entrou com um processo de pedido de falência na justiça, para me forçar a pagar a dívida, mas eu não tinha como pagar e a falência foi decretada, me obrigando a fechar as portas e demitir os poucos funcionários que restavam. Perdi tudo o que eu tinha. O meu sonho era chegar aos 30 anos milionário – mas eu cheguei aos 30 falido e devendo milhões. A minha empresa era muito grande, éramos os maiores integradores de produtos Intel do Brasil e eu geria centenas de funcionários. Mas a minha inexperiência e juventude (afinal, eu tinha apenas 26 anos) impediam que eu tivesse uma ideia clara do que era gerir uma empresa, e a minha empresa não tinha a estruturação necessária para aguentar crises externas e também as mudanças de direção do mercado. Todos os meus concorrentes quebraram e, embora eu tenha durado mais um pouco, não resisti muito. Quem está em uma empresa estruturada não quebra em uma crise, mas a minha não era assim. Então, em 2001, eu me vi devendo mais de 10 milhões de reais. Um advogado compôs o inventário de todos os meus bens, tudo o que havia em estoque e quais eram os ativos. Descrevi tudo para ele, pois é preciso, por lei, ter um inventário de falência e apresentá-lo à justiça. Tudo foi feito conforme a lei exigia.

Em um certo dia, estava dirigindo e, por algum motivo, o carro chamou a atenção da polícia, que me parou em uma *blitz*. Mostrei minha carteira de motorista e os documentos do carro. Os policiais checaram o meu nome. Descobriram que eu estava sendo procurado. Fui detido, levaram o meu carro, o pessoal que estava comigo ficou muito assustado e eu fui preso.

O motivo? Eu não entregara para a Justiça um dos bens da minha empresa. Quando alguém tem a falência decretada, há um prazo de 48 horas para entregar os livros fiscais e diários, além de deixar os bens da companhia à disposição da Justiça. O problema é que eu não tinha entregado um desses bens: um Fiat Uno, usado pela minha mulher no dia a dia. Assim, fiquei três dias na prisão, no 34º Distrito Policial, em São Paulo. Minha sorte é que uma advogada, a Dra. Fabiana Cardoso, me ajudou muito a enfrentar a situação. Eu não tinha dinheiro para pagá-la na época, mas ela acreditou em mim e me disse que, no futuro, eu e ela ganharíamos muito dinheiro juntos – o que realmente aconteceu. Ela entendeu a situação e me falou que tudo o que precisaríamos fazer era dar o carro para o juiz. Eu aceitei, claro. O automóvel estava na garagem da minha casa, era só ir até lá e pegá-lo. Como estávamos em um fim de semana, o processo demorou um pouco, mas depois de três noites eu estava livre da prisão administrativa e voltei para casa – não tinha dinheiro nem para pagar o condomínio em que vivia, mas estava em liberdade novamente.

A minha falência, como você pode ver, não foi um período fácil da minha vida. A prisão foi parte das complicações, pois, antes de passar alguns dias na cadeia, eu já estava muito deprimido. Descuidei tanto da minha saúde que cheguei a pesar 140 quilos e parei de fazer a barba. Tudo porque, embora eu tivesse outros negócios para cuidar, além de família e filhos, sentia como se, no fundo, absolutamente nada restara. Zero. Perdera o meu nome. Não podia abrir uma conta no banco. Não tinha mais crédito em lugar nenhum. No mundo dos negócios, eu era considerado morto.

No meu apartamento, cujo condomínio caro não conseguia pagar, eu me via cercado por computadores, que eram tudo o que eu tinha. Eles haviam sobrado da empresa que não existia mais. Ali, no meu escritório, gordo e barbudo, eu passava horas pensando em como faria para restabelecer a minha vida. Se eu continuasse naquele ciclo vicioso de tristeza e abatimento, nunca reconquistaria o que perdi. Comecei a me questionar para encontrar uma saída, refleti sobre as minhas fortalezas e as possíveis demandas do mundo em que estava vivendo. De repente, encontrei a resposta que eu precisava: eu tinha que vender. É claro! Mas vender o quê? A reflexão me fez voltar à minha história de vida. Resolvi que era hora de voltar para onde comecei. Eu precisava me conectar novamente com o mercado de produtos populares – dessa vez, com a ajuda da internet.

A importância da resiliência

Já ouviu falar sobre resiliência? No dicionário, o termo é definido da seguinte maneira: "propriedade que alguns corpos apresentam de retornar à forma original após terem sido submetidos a uma deformação elástica". Uma esponja tem resiliência, pois, depois que você a aperta, ela volta à sua forma original. Um papel, no entanto, não é resiliente: se você o amassa, ele nunca mais será o mesmo de antes. No mundo dos negócios, temos de ser como as esponjas e sempre recobrar a forma após as intempéries – não importa quais sejam. Descobri que sou um cara muito resiliente, pois tive de enfrentar inúmeras situações difíceis desde a minha infância. Mas qualquer um de nós pode desenvolver essa habilidade. E se você está pensando em entrar para o empreendedorismo, é bom começar a trabalhar o seu poder de resiliência.

Por isso, quero compartilhar algumas dicas:

1. **Enxergue além.** Nada adianta ficar lamentando uma situação difícil, isso não o ajudará a enfrentá-la. Pense no futuro para não ficar preso ao presente.
2. **Abrace a mudança.** Encare o novo como uma oportunidade de atingir seus objetivos de uma maneira diferente e de se tornar uma pessoa melhor.
3. **Veja o lado bom.** Pense sobre a mudança que você está enfrentando e reflita sobre o lado positivo daquela nova situação – por pior que ela seja. Use o acontecimento que parece negativo para refletir sobre as possibilidades de melhoria.

Uma esponja tem resiliência,
pois, depois que você a aperta,
ela volta à sua forma original.
Um papel, no entanto,
não é resiliente:
se você o amassa, ele nunca
mais será o mesmo de antes.
No mundo dos negócios,
temos de ser como as esponjas
e sempre recobrar a forma
após as intempéries – não importa
quais sejam.

4

As vendas sempre são a resposta

Então, lá estava eu: falido, pesando 140 quilos, barbudo e cercado de computadores, vivendo em um apartamento sem condições de mantê-lo, dono de um carro chique sem um tostão para colocar gasolina, sem quase nada na geladeira e dando um jeito de sobreviver sem crédito na praça. Foi um momento de muita vulnerabilidade. Temia tanto sair de casa e ser reconhecido pelos meus antigos funcionários que vivia enfurnado no apartamento. O que me sobrou foram os computadores e meu conhecimento de tecnologia – estudei apenas até o último ano do ensino fundamental, pois trabalhei desde cedo e não pude conciliar estudos e trabalho, mas sempre fui autodidata e aprendi muito sobre programação sozinho. Isso era tudo o que eu tinha e precisava dar um jeito de me reerguer com o que estava ao meu alcance.

Comecei a pensar sobre os rumos dos negócios pela internet para tentar ter uma ideia de como eu poderia me reerguer. Apesar de ter falido tocando uma empresa de tecnologia, eu sabia que esse mercado era muito promissor e que por meio dele eu daria a volta por cima. Analisando as tendências, percebi que havia oportunidades no ramo de publicidade on-line, pois era bem fácil chegar até a caixa de entrada das pessoas e isso dava um bom dinheiro. Então, comecei a disparar propagandas por e-mail. Por que isso me ajudou? Bem, porque eu estava novamente no campo mais importante do empreendedorismo: o das vendas.

O que atrapalha é que muita gente ainda tem bastante preconceito com a comercialização. É comum ouvir de vários empreendedores que eles se sentem bem falando das estratégias de seu negócio, das funcionalidades de seus produtos, da importância do que estão produzindo para a sociedade, desde que não estejam tentando fazer uma venda. Essa atitude, embora muito frequente, é terrível para os negócios. Afinal, quem não vende, não ganha dinheiro. E quem não ganha dinheiro, não consegue empreender. O preconceito contra as vendas é comum na nossa cultura. Quantas vezes você já entrou em uma loja e teve que se desdobrar para encontrar o preço de uma mercadoria? Quantas vezes o vendedor já se aproximou de você com receio de incomodar? Quantas vezes você já precisou ter uma conversa de meia hora com um vendedor para descobrir o preço de um bem mais caro, como um imóvel? Imagino que muitas vezes. Nós, brasileiros, em razão de nossa cultura de muita amizade e pouco "negócio fechado", temos receio de vender. Em sociedades de mercado com o capitalismo mais desenvolvido do que o nosso, em que os negócios vêm antes do fator pessoal, como é o caso dos Estados Unidos, esse preconceito não existe. Todo mundo está pronto para vender alguma coisa. E isso é ótimo!

As vendas salvaram a minha vida profissional diversas vezes e podem salvar a sua também. No futuro, há um consenso entre os especialistas de que as pessoas precisarão ser cada vez mais vendedoras de si mesmas se quiserem ter um negócio ou se desenvolver em uma companhia. Isso acontecerá porque as relações estão cada vez mais fluidas e baseadas nos indivíduos – estamos caminhando para um momento em que ostentar o crachá da empresa X ou Y não importará tanto, mas quem você é, como chegou aonde chegou e como consegue se mostrar para as outras pessoas, sejam clientes ou futuros empregadores. O que quero dizer com isso é o seguinte: estamos entrando em um mundo em que todos nós, sem exceção, precisamos nos tornar vendedores de nós mesmos. Por isso, é preciso, mais do que nunca, acabar com o preconceito com as vendas – sem elas, não vamos muito longe.

As vendas salvaram a minha vida profissional diversas vezes e podem salvar a sua também. No futuro, há um consenso entre os especialistas de que as pessoas precisarão ser cada vez mais vendedoras de si mesmas se quiserem ter um negócio ou se desenvolver em uma companhia.

Sem preconceitos

Quem enfrentou muitas adversidades, como eu, costuma ser mais aberto ao fato de que, se você não vende, você não come. E isso vale para todo mundo: do camelô, que tem sua barraquinha de salgadinhos perto de um ponto de ônibus, ao CEO de uma multinacional. As coisas só funcionam nas nossas vidas se o dinheiro circula. Se eu tivesse, por um segundo, tido medo de vender, estaria sem rumo na vida. E, como eu, vários grandes homens encaram as vendas do jeito certo. Um deles, claro, é o Silvio Santos – empresário que admiro muito e que me rendeu até meu apelido de "Silvio Santos da internet"!

A história dele é fascinante e contarei um pequeno trecho que sempre chama a minha atenção porque Silvio começou a dar um rumo para a sua vida por meio das vendas. Nascido no Rio de Janeiro em uma família de imigrantes europeus e judeus, ele começou a sua vida profissional bem jovem, aos 14 anos, porque percebeu uma oportunidade de negócios no bairro da Cinelândia: vender capinhas para títulos de eleitor. Era o ano de 1946 e ele e o irmão viram um homem ganhando dinheiro com esse negócio. Por ser um comércio ilegal, a dupla teve a ideia de vender as capinhas durante o almoço dos policiais da região – o que lhes dava apenas 45 minutos para comercializar a mercadoria. Por meio das vendas nas ruas, Silvio chamou a atenção das pessoas por causa da sua voz potente e muito carismática. Por isso, foi convidado a fazer testes na Rádio Guanabara e começou a ser locutor, mas ele ganhava mais vendendo seus produtos na rua, então preferiu voltar à vida de camelô. Porém, quando fez 18 anos, Silvio foi obrigado a se alistar no exército e, assim, não tinha mais tempo para vender. Por essa razão, resolveu que voltaria a trabalhar no rádio – uma carreira mais compatível com a de militar, pois poderia fazer bicos de locutor durante suas folgas. Só que o tino comercial era tão grande que, durante o trajeto de barca que fazia para ir de casa até a Rádio, percebeu que poderia ganhar dinheiro. Como? Na barca, havia música, mas não havia um narrador. Então, Silvio pensou que seria interessante criar um serviço de alto-falantes para vender mercadorias. Deu tão certo que ele pôde até criar um bingo flutuante – os clientes ganhavam uma cartela para participar do jogo depois de comprarem alguma coisa, com uma bebida. O tino comercial foi também o responsável para que Sílvio conquistasse aquilo que foi crucial para a sua carreira: o Baú da Felicidade. Já em São Paulo, ele descobriu que seu amigo, Manoel da Nóbrega, não conseguia capitalizar com uma empresa que vendia brinquedos à prestação, por meio de pagamentos de carnês. Manoel enfrentava dificuldades em obter mercadorias suficientes para os consumidores que compravam os carnês. Ele queria fechar a empresa. Silvio resolveu comprá-la e transformá-la em um empreendimento que vendesse outros produtos além de brinquedos. Assim nascia o império de Silvio Santos.

Esse império não nasceu só de um talento natural extraordinário, mas sobretudo porque Silvio não tinha preconceito em vender e adotou, em todas as fases da sua vida, um comportamento de vendedor – atitude que ensinarei nas páginas seguintes deste livro. E por que esse comportamento é importante? Bem, porque as vendas são a plataforma do futuro que o levarão a tirar o seu negócio do ciclo de dificuldades em que ele está agora.

Comigo foi assim. Para que eu começasse a me recuperar da falência, além das propagandas, retornei às minhas origens, e, como Silvio Santos, passei a vender produtos populares novamente. Dessa vez, pela internet. Eu criava pequenos sites voltados para produtos exclusivos, como uma caneta, um relógio ou óculos de sol. Pegava o produto, analisava todas as características dele e fazia um site elogioso que só vendesse aquilo. Isso era o que eu fazia nos meus anos de *office boy* no banco Nacional e que me rendeu um bom dinheiro. A minha entrada no *e-commerce* me levaria a conquistar o que conquistei. Como empreendedor desesperado, minha rotina nessa época era meio maluca. Começava a disparar os e-mails com os anúncios à noite e só ia dormir às quatro da manhã – quando o dinheiro das vendas entrava na minha conta. Só assim conseguia fechar os olhos. Estava entrando na plataforma do futuro, e, nas próximas páginas, mostrarei o caminho para que você também desfrute desse mundo maravilhoso – e lucrativo.

5

Interrompa o ciclo de fracasso

Quando estamos por baixo, tudo o que vemos é o fracasso. Você acorda pela manhã, depois de ter dormido pouquíssimas horas e, mesmo antes de se levantar da cama, sua cabeça já está fervendo com todos os problemas que precisa encarar. Seu desejo real é se virar para o lado, colocar a cabeça no travesseiro e não se levantar nunca mais. Assim, não precisaria lidar com a falta de dinheiro, a dívida no banco, a ausência de perspectivas interessantes.

Mas, no fundo, você sabe que não pode fazer isso, que tem que lutar. Mas onde buscar forças para tanto? Por mais que você tente, não consegue encontrá-las.

Antigamente, antes de tantas dificuldades, você tinha essa garra, essa vontade de fazer acontecer. Mas os problemas e as desilusões levaram tudo isso embora. Agora, você nem sabe mais se conseguirá levantar da cama para enfrentar um novo dia. O desespero parece maior do que qualquer coisa. Lutar contra ele não é nada fácil – entendo isso. Sei o quão difícil é não ter 1 real para comprar comida e ainda ter de enfrentar uma dívida de milhões de reais. Sei como dói olhar para as pessoas que você ama – seus filhos, sua família – e ver nos olhos deles a tristeza porque você fracassou. Sei que o fracasso é um dos monstros mais difíceis de enfrentar. Mas sei também que, quando você passa por cima dele, não há sensação melhor no mundo. Você volta a ser você mesmo; melhor ainda: você consegue criar uma versão aprimorada de si mesmo.

Existem muitas maneiras de fracassar. Há pessoas que, como eu, perdem tudo e precisam dar um jeito de começar de novo, do zero. Mas há também gente que tem algum dinheirinho guardado, que leva uma vida razoavelmente confortável, mas que se sente fracassada porque está infeliz em um emprego que detesta e não sabe o que precisa fazer para se sentir realmente valorizada. Ou, então, pessoas que resolveram fazer o que amam, abriram negócios que adoram, mas que estão perdendo o brilho nos olhos porque é muito difícil faturar o montante necessário para que a empresa dê lucro e se desenvolva.

Não importa qual é o tipo de sentimento de fracasso, todos doem muito. E por quê? Bem, porque você se sente inútil e impotente, sensações que corroem, pouco a pouco, a sua autoestima. Um dia, de repente, você tem aquele sentimento de não querer levantar da cama. Aí você percebe que o fracasso está lhe paralisando e que é hora de fazer alguma coisa. Alcança a percepção de que: ou você age para sair do buraco em que se enfiou ou nunca mais sairá dali.

Hora de refletir

Mas como fazer isso? Primeiro, é preciso enfrentar seus próprios fantasmas. Por isso, proponho um exercício de reflexão e autoanálise. Pegue o livro e um lápis, vá para algum lugar bem calmo e desligue o celular. Se você está em um local mais movimentado agora, espere para fazer esse exercício em algum momento mais propício. É importante que se concentre bem, pois vamos descobrir aspectos fundamentais sobre você agora. Sei que isso pode até ser um pouco desconfortável, mas esse exercício de autoconhecimento é essencial para quebrar o ciclo de fracasso que está acontecendo dentro de você e entender qual é o seu verdadeiro potencial. Para fazer isso, é preciso começar pelas questões mais latentes. Ou seja, você tem de parar e pensar sobre o que está realmente tirando o seu sono – e analisar os motivos pelos quais se sente assim quanto a cada uma dessas questões. É isso que você anotará nas linhas abaixo das perguntas.

TESTE

O que me faz sentir fracassado e por quê?

Motivo #1

____

____

____

____

Motivo #2

____

____

____

____

Motivo #3

____

____

____

____

Agora, é hora de analisar como as suas próprias ações o levaram a criar esses problemas. Aqui você não pode culpar nenhum fator externo – não vale dizer que essas questões resultam da crise, de um sócio, da sua família, dos clientes ou algo do tipo. Você precisa analisar de que maneira as atitudes que **você** tomou o levaram a essas dificuldades. Sim, eu sei que não é uma tarefa fácil. Use o tempo que precisar para refletir sobre isso, mas reflita. Estamos enfrentando o monstro do fracasso e entender quais são as nossas fraquezas é o que nos conduzirá ao sucesso. Por isso, preciso que liste pelo menos três atitudes essenciais para criar os três problemas descritos na questão anterior – é necessário também descrever como elas levaram a cada um dos problemas.

Como três atitudes minhas me levaram aos três problemas listados?

Atitude #1

____

____

____

____

____

____

____

Atitude #2

____
____
____
____
____
____
____
____
____

Atitude #3

____
____
____
____
____
____
____
____
____

Muito bem. Você já refletiu sobre o seu lado sombrio: seus problemas e seus erros. Essa é uma reflexão importantíssima, mas chegar a ela não basta. Afinal, se ficamos presos no que fizemos de errado, não conseguimos seguir em frente e não rompemos de verdade o ciclo de fracasso. Por isso, chegou o momento de pensar nas ações que você deve tomar para sair do labirinto de problemas e desilusões em que você está perdido há tanto tempo. As ações têm um poder extraordinário, são elas o que forma os campeões. Ou você acha que gente realmente boa e inspiradora fica sentada esperando as coisas acontecerem?

Pense nos grandes atletas, por exemplo. Jogadores maravilhosos como Messi ou Neymar têm, sim, um talento fora do comum. Mas se eles não tivessem treinado muito, com seriedade e disciplina, não teriam chegado aonde chegaram hoje. Poderiam até ter conseguido atuar com jogadores profissionais, mas não estariam em um clube de tão alto nível. A ação é fundamental para quebrar o ciclo do fracasso. Como diz Paulo Vieira em seu livro *O poder da ação* (Editora Gente, 2015), é por meio da ação que a nossa vida sai do papel e é por meio de nossas ações que construímos as melhores oportunidades para as nossas vidas. Paulo escreveu um trecho que acho muito inspirador e quero compartilhá-lo com você:

OPORTUNIDADE SE CONSTRÓI, NÃO SE ESPERA

Conheci há algum tempo um vendedor veterano que continuava esperando pelo pulo do gato, o grande lance de sorte que mudaria sua vida, a ideia que transformaria toda a sua existência. Ele nunca pensou, ou melhor, responsabilizou-se, por construir uma carreira vitoriosa – afinal, ele esperava pelo golpe de mestre, algo fora do seu controle, algo que aconteceria e transformaria sua vida, e aí sim ele poderia dar seu salto quântico e realizar todos os seus objetivos.

Vendo suas dificuldades financeiras e pessoais, convidei-o para fazer um dos meus treinamentos de vendas. Ele me olhou com um incrível ar de autossuficiência e disse: "Paulinho, esses negócios de treinamento não ajudam em nada, ou você é vendedor ou não é. Olha, eu tenho mais de vinte anos em vendas e nunca precisei fazer nenhum treinamento".

De forma direta, argumentei: "Então, me diga: Por que as coisas estão sempre tão difíceis para você? Por que você é vendedor de uma empresa tão pequenina, sem expressão e que paga comissões tão baixas?" Foi aí que ele deixou clara sua falta de autorresponsabilidade. "Sabe como é...", disse ele, "se eu tivesse tido mais oportunidade não estaria hoje aqui, minha vida sempre foi muito difícil... Muitos irmãos, pouco dinheiro... Você sabe...'"

Eu tentei mais uma vez: "Você não acha que este curso com que o estou presenteando é uma oportunidade? Afinal, lá estarão gerentes e proprietários de outras empresas, vendedores e consultores de vendas. E, quem sabe, durante esse curso você conhecerá alguém que poderá lhe dar essa tal oportunidade".

Ele finalmente concordou e ainda completou: "E, além de conhecer pessoas da área, poderei aprender alguma coisa que eu ainda não saiba!". Fiquei muito feliz pela sua atitude. Dei-lhe as datas e o horário do treinamento, ele agradeceu com aquele costumeiro ar de autossuficiência, despediu-se e combinou de nos vermos no treinamento.

Quando chegou o dia do treinamento, apenas a cadeira número 17 ficou vaga. Olhei na chamada e era justamente a dele, daquele vendedor que não tinha oportunidades na vida. E, como eu havia previsto, a sala estava repleta de proprietários, gerentes e vendedores de grandes empresas. Um mundo de possibilidades, oportunidades e aprendizado que lhe batia à face, mas ele não era capaz de percebê-las, e muito menos de aproveitá-las. Afinal, de acordo com aquele vendedor, seu sucesso não dependia nem dele nem de suas atitudes, e sim de o destino mandar o tão esperado pulo do gato.

Tempos depois, voltei a encontrar esse vendedor, e, como não poderia deixar de ser, ele veio me falar das dificuldades que estava enfrentando, de como as vendas estavam fracas e de como os clientes eram difíceis e intransigentes. Entretanto, ele tinha tido uma ideia que mudaria sua vida, uma ideia revolucionária – e, se dessem a oportunidade de colocá-la em prática, ele seria um novo homem. Obviamente, "eles" não deram oportunidade para esse vendedor colocar sua ideia em prática e, por consequência, nada mudou (para melhor) em sua vida.

Como é frustrante a vida das pessoas que não são capazes de construir suas oportunidades; como são frágeis profissionalmente aqueles que se colocam à mercê do mundo, na fila, à espera de uma oportunidade!

Essas pessoas mal sabem ou preferem não saber que essas oportunidades se manifestam constante e sistematicamente na vida de todos. No entanto, pessoas com a autorresponsabilidade desenvolvida não apenas as percebem como também as criam e, principalmente, as aproveitam.

Martin Seligman, um dos pioneiros da Psicologia Positiva (PsP), no livro *Aprenda a ser otimista,* atesta que, quanto mais a pessoa se sente responsável pela vida que tem levado, mais realizada e plena ela é. Traga a autorresponsabilidade não apenas como uma filosofia de vida, mas também como uma crença forte e arraigada em sua mente, suas palavras e atitudes.

Uma boa maneira de encerrar este capítulo é fazer uma analogia com um barco a vela. Nessa história, o barco é nossa vida, nós somos o timoneiro, e o mar e o vento são as circunstâncias que nos rodeiam e sobre as quais não temos controle. Seja o capitão de sua vida e aproveite o vento que aparentemente soprava contra para impulsionar seu barco, aproveite a maré e as correntes que antes o atrapalhavam para direcioná-lo para os seus objetivos antes que o mundo e as circunstâncias o façam. Você não pode mudar o mar, o vento e as correntes, mas pode mudar a direção do barco, a posição das velas e do leme para atingir seus objetivos.

Concordo completamente com o meu xará. Acredito piamente que, para romper o ciclo de fracasso, nós precisamos agir. Se eu ficasse parado depois da minha falência, estaria até agora com uma barba gigantesca e sem nenhum tostão no bolso. Agir é o que faz você conquistar o que deseja. Sei que agora talvez você me diga que já tentou muito reagir, mas nunca conseguiu, por isso, o melhor é desistir. Mas se você **realmente** acreditasse nisso, não estaria lendo este livro. Você quer mudar. E, para começar a mudar, é preciso planejar o que fazer. Então, pegue novamente seu lápis e escreva aqui embaixo três ações que você precisa executar para resolver seus problemas e começar a seguir em frente. Não se esqueça de explicar por que elas são importantes.

Ação #1

Ação #2

Ação #3

Fique com essas ações na cabeça, e, conforme sua jornada se desenvolver, revise as ações periodicamente. Mas você precisa acreditar que essas ações darão certo. Pode até parecer bobagem à primeira vista, mas quem não acredita que tem o potencial de agir e mudar sua vida não sai do lugar e fica preso para sempre no ciclo de fracasso. Crer que você pode, consegue e merece é essencial para se reerguer. É o pensamento positivo que o levará mais longe. Duvida? Bem, cientistas da Universidade de Carnegie Mellon, nos Estados Unidos, descobriram que estudantes se saíram melhor nas provas depois de refletirem sobre situações de suas vidas em que sentiram que desenvolveram qualidades interessantes e das quais se orgulham. Os alunos que pensaram sobre isso antes dos testes ficaram com a autoestima elevada e isso os ajudou a atingir resultados melhores do que os estudantes que não tiveram esse tipo de raciocínio[4]. Isso mostra o quão importante é acreditar em si mesmo.

Por isso, acredite! Se você alinhar suas ações às suas qualidades (e sim, você tem muitas qualidades), conseguirá se livrar do fracasso e conquistar o sucesso – e as vendas serão o caminho para que você chegue muito mais longe do que já imaginou.

---

4 Disponível em: <http://revistagalileu.globo.com/Revista/Common/0,,EMI263281-17770,00-PENSAMENTO+POSITIVO+PODE+AJUDAR+A+COMBATER+-DOENCAS.html>. Acesso em jul. de 2017.

O pulo do gato

Essa expressão é comum, mas o que ela realmente significa? Ela vem de uma fábula na qual uma raposa começa a ficar amiga de um gato com o intuito de atacá-lo. Pede a ele que ensine todos os truques, assim ele não teria como escapar. A raposa convenceu o gato a lhe ensinar e, quando achou que tinha aprendido tudo, deu o bote para devorá-lo. Mas, para a surpresa dela, havia uma tática que o gato não ensinou, que era um pulo muito difícil e rápido, e, assim, ele conseguiu escapar.

A raposa, toda confusa, disse: "Gato, esse pulo você não me ensinou!". E ele, seguro em cima de uma árvore, respondeu: "Esse eu não ensino, pois é ele que me mantém vivo".

Cada um no seu ramo acaba desenvolvendo o segredo necessário para se manter vivo e prosperando, e é isto que cada empresário precisa fazer: descobrir qual é o seu pulo do gato.

Por volta de 2007 e 2008, o segredo n. 1 de sobrevivência da minha empresa, aquele que eu não contava para ninguém, era ganhar no frete. Hoje isso é comum, várias *e-commerce* ganham com o frete.

Eu mantinha uma negociação muito forte com os Correios, então o meu frete era sempre mais barato e os meus produtos eram bem populares. Havia uma configuração no

Cada um no seu ramo acaba desenvolvendo o segredo necessário para se manter vivo e prosperando, e é isto que cada empresário precisa fazer: descobrir qual é o seu pulo do gato.

site em que ele acrescentava 5% de seguro em cima do produto e o acrescentava ao frete. Então, se a entrega era R$10,00 e o produto R$50,00, o frete saía por R$12,50.

Para o consumidor, esses R$2,50 não faziam diferença, mas, no montante geral, esses 5% era uma margem muito grande de lucro. Imagine 5% em cima do faturamento bruto total, era muito dinheiro, era como se eu tivesse uma margem já garantida. Isso era feito com produtos baratos (nos mais caros, o frete era grátis e funcionava diferente).

Esse era o meu pulo do gato: mesmo se não tivesse lucro nenhum com as vendas, ainda assim haveria o ganho de 5% sobre o valor do faturamento, que era o suficiente para nos manter vivos mesmo em meses complicados.

6

Olhe mais para o mundo

No capítulo anterior, você escreveu três ações que colocará em prática para sair do ciclo de fracasso e atingir os resultados que deseja. Essas ações são essenciais para o seu crescimento, mas é importante que estejam alinhadas com a realidade do mercado. Por isso, agora mostrarei alguns conceitos e ferramentas que estão em alta – e que devem permanecer assim por alguns anos. Meu objetivo é que, com esses conhecimentos, você possa alinhar as suas ações ao que realmente lhe dará dinheiro em um futuro próximo.

Uma das atitudes mais importantes nesse mundo em que vivemos é estar sempre atento às tendências. Hoje, tudo muda muito rápido e, se você não presta atenção, o seu negócio fica obsoleto rapidamente e você se vê sem faturamento porque está atuando de uma maneira que não é mais rentável. Por isso, procure ficar de olhos abertos. Sei que isso nem sempre é fácil quando estamos preocupados com os números que não fecham e com a dívida que não para de crescer no banco, questões que sugam toda a nossa energia e, muitas vezes, não permitem que prestemos atenção ao que está acontecendo lá fora. As dificuldades, embora minem as nossas energias, deviam servir para que comecemos a pensar no novo. Afinal, ninguém consegue realmente transformar um negócio ruim em um negócio rentável se ficar usando sempre as mesmas estratégias. Para ter novos resultados, é preciso ter novas atitudes.

E para ter novas atitudes, é preciso ter novas ideias. Agora, você deve estar se perguntando: "Ok, muito bonito dizer para ter ideias novas, até entendo que isso realmente ajude no crescimento de uma empresa, mas como é que eu, que não sou nenhum gênio, vou conseguir pensar em algo que realmente valha a pena, que faça sentido e que me ajude a ganhar dinheiro de verdade?". Nesse pensamento está uma palavra muito perigosa no mundo do empreendedorismo: gênio. Pense um pouco. Pouquíssimas pessoas são geniais. Dá para contar nos dedos aqueles que revolucionaram o mundo. Mesmo assim, há milhões de pessoas que conseguem empreender e enriquecer. Essas pessoas são geniais? Provavelmente não. Mas elas conseguem enxergar oportunidades de negócio que talvez você ainda não esteja enxergando. E por que não está enxergando? Talvez a resposta tenha a ver com a maneira como você se relaciona com o mundo. É preciso manter uma relação mais proativa com o que acontece lá fora. Se eu, por exemplo, não tivesse prestado atenção ao *outdoor* que dizia "Use a Internet", não teria chegado aonde cheguei. Quantos chamados como esse não aparecem no nosso caminho todos os dias? Tudo o que você precisa fazer é ficar mais atento a eles. Quanto mais você se abre para os outros, mais informações consegue sobre o que está acontecendo no mundo e mais ideias surgem. Às vezes, temos medo ou vergonha de compartilhar nossos problemas, mas no relacionamento está a chave para encontrar a solução de um problema. A troca é fundamental para grandes empreendedores.

Não é à toa, por exemplo, que Flavio Augusto, um cara que começou do zero e fundou uma das redes de escolas de inglês mais bem-sucedidas do Brasil, a WiseUp, criou o Geração de Valor, um site em que compartilha histórias inspiradoras de empreendedores de todo o país. Ele acredita que, quanto mais informações você tiver, mais ferramentas terá para criar o próprio negócio. Isso aconteceu com ele próprio. Quando ainda era empregado de uma escola de inglês, onde entrou para ganhar um dinheirinho para levar a namorada ao cinema, percebeu, conversando com os alunos, que havia uma demanda para aprender inglês de um jeito mais rápido do que era ensinado até então. Isso lá nos anos 1990. Nessas conversas, ele enxergou a oportunidade de fazer diferente, criou um método de aprender inglês em 18 meses e fundou a WiseUp – com 20.000 reais do seu cheque especial. Mas ele estava alinhado à nova realidade do mercado: as pessoas não dispunham de tempo de aprender inglês por anos a fio, elas precisavam aprender rapidamente para usar na prática, no mercado de trabalho. E esse alinhamento resultou no sucesso da escola e no seu rápido crescimento, transformando Flavio em um dos homens mais ricos do país. Por isso, abra os olhos e ouvidos. Qualquer oportunidade para conversar com alguém sobre seu mercado ou negócio é válida – e não importa se a outra pessoa é mais simples ou um empresário com anos de bagagem, o importante é trocar informações e conhecimento. É pela troca que surge a inovação.

O novo mundo das vendas

Pode parecer que, hoje, vender é muito mais difícil do que era no passado. Mas pense bem. Antigamente, para que alguém fosse um vendedor bem-sucedido, era preciso ter uma lábia maravilhosa, ficar horas conversando com clientes potenciais em uma loja e dar a sorte de abrir o negócio em um local de bom movimento. Fazer as vendas crescerem demandava muito tempo de atividade para que a clientela, aos poucos, recomendasse os produtos vendidos, confiasse no vendedor e, consequentemente, crescesse. Hoje, embora vender permaneça um desafio para muita gente, existem ferramentas para tornar a comercialização mais rápida e lucrativa. E a internet é a maior delas. Isso porque, com a internet, você consegue testar o que realmente dá certo – e quem de fato é o seu público. Antigamente, para fazer esses testes, era necessário um dinheirão. Agora, são possíveis testes e ajustes conforme lança as suas estratégias e seus produtos. Se você tinha 10.000 reais para aplicar em uma loja física, certamente não recuperaria esse investimento rapidamente, pois, mesmo que acertasse na estratégia, o retorno é mais lento, já que sua escala é pequena. Pior ainda se errasse na estratégia, aí estaria perdido. Afinal, até perceber que as coisas não se reverteriam, todo o seu dinheiro já se fora. Na internet, no entanto, você pode testar e validar sua estratégia com muito mais velocidade. Se o consumidor não está reagindo da maneira como você gostaria, de um dia para o outro é possível mudar a abordagem, colher dados e compreender o que estava dando errado. Na internet, seus 10.000 reais são um tiro certeiro. Se analisar os dados de suas vendas e o comportamento dos seus consumidores, conseguirá fazer o montante crescer. O dinamismo da rede permite isso e permite também outra coisa muito importante: a escalabilidade. Esse termo, que surgiu faz pouco tempo com a proliferação das *startups*, significa que, quando negócios (ou vendas) crescem rapidamente sem demandar aumento no esforço da mão de obra ou aumento de custos, há escalabilidade.

E, hoje, uma das maneiras mais usadas para escalar as vendas pela internet é por meio dos *marketplaces*, já ouviu falar?

Esse conceito representa um modelo de negócios que surgiu no Brasil em 2012 e é muito bem representado pela Amazon ou pela B2W (dona dos sites Americanas, Submarino e Shoptime). Podemos caracterizá-lo como um shopping virtual, ou seja, uma única plataforma (site, aplicativos, etc.) que reúne marcas, lojas e produtos variados. A vantagem para o comprador é que ele pode encontrar os melhores produtos pelo melhor custo-benefício consultando somente um lugar. Outros exemplos muito notáveis que temos no Brasil são: Dafiti, Mercado Livre, Ricardo Eletro e muitos outros.

A cada ano, esse modelo de negócio fica mais conhecido e o motivo é muito simples: ele permite que novas marcas e empreendedores possam ser vistos e conhecidos no mesmo nível que outras mais consolidadas no mercado.

Imagine-se lançando um produto completamente novo, sem capital para fazer uma divulgação em massa. É muito difícil conquistar clientes assim. Agora, imagine se você tem a chance de propagar o seu trabalho dentro de uma loja que já é conhecida, tem muitos consumidores fiéis e movimento constante. Muito mais vantajoso, concorda?

Em troca desse espaço, você contribui com uma pequena porcentagem dos lucros para o dono do negócio no qual está expondo seu produto ou serviço. Isso é o *marketplaces*!

Ou seja, o *marketplaces* nada mais é do que uma grande vitrine para os seus produtos. As lojas, hoje, são quase como um cartão de visitas – você tem sua loja, sua marca, mas trabalha em conjunto para uma companhia que tem uma marca ainda maior do que a sua e que atrai mais clientes do que o seu site sozinho. O resultado disso é um aumento grande nas suas vendas. Afinal, se o seu produto está em um site que recebe milhares de visitas todos os dias, as possibilidades de os consumidores comprarem o que você oferece são imensas. Claro que há algumas contrapartidas e cuidados que devem ser observados, mas é uma oportunidade enorme. Isso porque os grandes *marketplaces* precisam de muito estoque – sozinhos eles não comportam centenas de unidades de um produto. É só pensar em uma farmácia. Quando você precisa de um remédio mais específico, o farmacêutico só poderá vender uma ou duas unidades, pois o estoque dele é limitado, mesmo em lojas de rede. Mas ele consegue pedir mais unidades para outras farmácias da rede – pois o estoque é muito maior quando se juntam todas as lojas. No *marketplaces*, também é mais ou menos assim: os grandes sites se associam a pequenos sites porque precisam de estoque. Eles precisam ter 40.000 itens de determinado produto à disposição e conseguem atingir esse montante com a união de centenas de pequenos sites à sua marca. Para os pequenos, as vantagens são muitas. A maior delas, na minha opinião, é não ter de se preocupar com a consolidação de uma marca própria e com a publicidade, e, então, poder se concentrar no que é mais importante: vender.

Assim, você pode consolidar seus esforços apenas no que gera dinheiro de verdade, sem precisar se preocupar com todos os outros aspectos do marketing e da propaganda – o *marketplaces* faz isso por você com um *know-how* muito maior e com muito mais eficiência. Em uma grande promoção, como a Black Friday, por exemplo, você não precisa traçar estratégias de divulgação para os clientes, precisa só alinhar seus preços, ter boas fotos e descrições do seu produto e aproveitar a onda de compras.

Mas nem tudo é tão simples assim. Para que você tenha sucesso nesse modelo, é preciso cuidar bem do seu estoque e da logística. Por isso, sugiro que atue em nichos, pois é mais simples ter de cuidar de muitos produtos parecidos do que de uma variedade imensa de coisas. Se você fizer o trabalho com seriedade, tornar-se-á uma referência naquele mercado específico e sempre que alguém pensar sobre aquele produto, saberá que é você quem ele precisa procurar. Quando há um foco, o cuidado com o estoque, além de mais simples, é mais eficiente. Se você só vende canetas vermelhas, por exemplo, tem apenas que se preocupar com a qualidade delas, encontrar as melhores do mercado e estar pronto para responder a todas as dúvidas dos clientes sobre esse produto. Agora, se você vende canetas vermelhas e tênis de corrida, não conseguirá aprender sobre os dois itens com a mesma profundidade. Seu foco se dispersará e você não será a grande referência no assunto. É melhor focar em uma coisa só – pelo menos até começar a crescer. Ter essa objetividade é essencial porque, quando você se dispersa, não consegue ter o controle sobre o estoque e a logística de entrega ao cliente, os aspectos mais preciosos de quem vende on-line via *marketplaces*. Se você pisa na bola uma vez em um desses dois assuntos, está perdido. Você não pode marcar bobeira, porque na internet as críticas ficam para sempre e o algoritmo do *marketplaces* (que define quais vendedores aparecerão na busca do cliente) não mostrará mais você como a primeira opção. Errar uma vez é o bastante para se prejudicar muito. Por isso, o foco é fundamental. Se você tem controle sobre a sua operação no *marketplaces*, fará rios de dinheiro – em uma velocidade alucinante.

Errar uma vez
é o bastante para
se prejudicar muito.
Por isso, o foco é
fundamental.
Se você tem controle
sobre a sua operação
no marketplaces,
fará rios de dinheiro –
em uma velocidade
alucinante.

7

Crie laços com seus clientes

Vender pela internet, como expliquei no capítulo anterior, é algo realmente lucrativo. Mas essa lucratividade só existirá em sua plenitude se você tiver o bem mais precioso do mundo: os clientes. O problema que sempre surge é o famoso "como eu faço para atrair compradores para o meu negócio?". Essa pergunta está na cabeça de dez entre dez vendedores. Mesmo aqueles que estão conseguindo vender razoavelmente bem precisam pensar sobre o assunto porque cultivar um cliente é como cuidar de uma flor delicada: basta um dia sem a rega adequada para que ela murche.

Existem milhares de teorias sobre atrair clientes, mas uma das mais importantes – e que tem me ajudado muito no meu sucesso como empreendedor – é a da persuasão e da reciprocidade. Quer dizer, os vendedores que mais conseguem converter as vendas são aqueles persuasivos o suficiente para criar laços de reciprocidade com seus clientes – algo que é totalmente humano, e, por isso, dá tão certo. No livro *As armas da persuasão*, o cientista Robert B. Cialdini explica como a reciprocidade afeta as nossas vidas de maneira avassaladora, como vemos no trecho a seguir:

> Vários anos atrás, um professor universitário fez um pequeno experimento. Enviou cartões de Natal a uma amostra de pessoas desconhecidas. Embora esperasse alguma reação, o resultado o surpreendeu – recebeu uma enxurrada de cartões de boas-festas de pessoas que não o conheciam. A grande maioria daquelas que responderam aos cartões jamais indagou a identidade do professor desconhecido. Elas receberam seu cartão de felicitação, clique, e, zum, automaticamente retribuíram os cartões (Kunz e Woolcott, 1976).
>
> Embora de pequeno alcance, esse estudo mostra o efeito de uma das armas de influência mais potentes à nossa disposição: a regra da reciprocidade. A regra diz que devemos tentar retribuir, na mesma moeda, o que outra pessoa nos concedeu. Se uma mulher nos faz um favor, temos que fazer outro em troca. Se um homem nos dá um presente de aniversário, temos que lembrar seu aniversário dando um presente também. Se um casal nos convida para uma festa, temos que convidá-lo quando

dermos uma festa. Em virtude da regra da reciprocidade, somos obrigados a retribuir no futuro os favores, presentes, convites e itens semelhantes. A própria expressão de agradecimento "muito obrigado" reflete o dever decorrente do recebimento dessas coisas.

O aspecto mais impressionante da reciprocidade acompanhada da sensação de obrigação é sua penetração na cultura humana. Ela é tão generalizada que, após um estudo amplo, Alvin Gouldner (1960), em parceria com outros sociólogos, relatou que todas as sociedades seguem essa regra. O eminente arqueologista Richard Leakey atribui a essência do que nos torna humanos ao sistema de reciprocidade. Ele alega que somos humanos porque nossos ancestrais aprenderam a compartilhar comida e habilidades "numa rede honrada de obrigações" (Leakey e Lewin, 1978). Os antropólogos culturais consideram essa "rede de gratidão" um mecanismo adaptativo singular dos seres humanos, permitindo a divisão do trabalho, a troca de diversas formas de produtos e serviços e a criação de interdependências que conectam os indivíduos em unidades altamente eficientes (Ridley, 1997; Tiger e Fox, 1989).

A sensação de obrigação futura amplamente compartilhada e rigorosamente obedecida fez uma diferença enorme na evolução social humana porque significou que uma pessoa podia dar algo (comida, energia, cuidados) para outra com a certeza de que a dádiva não estava se perdendo. Pela primeira vez na história evolucionária, o indivíduo podia se desfazer de uma variedade de recursos sem de fato se desfazer deles. O resultado foi a diminuição das inibições naturais contra transações que precisam começar com uma pessoa oferecendo recursos pessoais a outra. Sistemas sofisticados e coordenados de ajuda, presentes, defesa e comércio se tornaram possíveis, trazendo benefícios enormes para as sociedades que os possuíam. Com essas consequências claramente adaptativas para a cultura, não surpreende que a regra de reciprocidade esteja tão arraigada em nós por meio do processo de socialização pelo qual passamos.

Embora as obrigações se estendam para o futuro, seu alcance não é ilimitado. Em especial quando se trata de favores relativamente pequenos, o desejo de retribuir parece diminuir com o tempo (Burger et al., 1997; Flynn, 2002). Mas quando os benefícios são mais notáveis, a duração do desejo de retribuir é prolongada. (...)

Não se engane: as sociedades humanas obtêm uma grande vantagem competitiva da regra da reciprocidade e, portanto, zelam para que seus membros sejam educados para obedecê-la e acreditar nela. Cada um de nós foi ensinado a cumprir essa regra e conhece as sanções sociais e o menosprezo reservados para quem quer que a viole. Por conta da aversão geral por quem recebe sem fazer nenhum esforço por retribuir, costumamos nos esmerar para não sermos considerados parasitas, ingratos ou aproveitadores. No processo, porém, podemos ser explorados por indivíduos que procuram tirar vantagem de nossa gratidão.

Para entender como a regra da reciprocidade pode ser explorada por alguém que a reconheça como uma verdadeira arma de influência, examinemos um experimento conduzido pelo psicólogo Dennis Regan (1971). Como parte de uma pesquisa de "apreciação artística", dois voluntários deveriam avaliar a qualidade de algumas pinturas. Um dos avaliadores – podemos chamá-lo de Joe – estava apenas se fingindo de voluntário e era, na verdade, o assistente do Dr. Regan.

O experimento ocorreu sob duas condições diferentes. Em alguns casos, Joe prestava um pequeno favor não solicitado ao verdadeiro voluntário. Durante um breve período de descanso, Joe deixava a sala por alguns minutos e retornava com duas garrafas de Coca-Cola, uma para o voluntário e outra para ele, dizendo: 'Perguntei ao pesquisador se podia pegar um refrigerante e ele disse que sim, por isso comprei um para você também'. Em outros casos, Joe não fazia um favor ao voluntário – ele retornava do intervalo de dois minutos de mãos vazias. Em todos os outros aspectos, porém, Joe se comportava de forma idêntica.

Mais tarde, depois que todas as pinturas haviam sido avaliadas e o pesquisador deixava a sala, Joe pedia ao voluntário que lhe fizesse um favor. Contava que estava vendendo bilhetes de rifa de um carro novo e que, se vendesse mais que os outros, ganharia um prêmio de 50 dólares. O pedido de Joe era que o voluntário comprasse alguns bilhetes da rifa por 25 centavos de dólar cada: 'Um só já vai ajudar. Mas quanto mais melhor'.

A principal descoberta do estudo diz respeito ao número de bilhetes que os voluntários compraram sob as duas condições. Sem dúvida, Joe teve mais sucesso ao vender seus bilhetes de rifa aos voluntários beneficiados antes pelo favor.

Aparentemente sentindo que lhe deviam algo, esses voluntários compraram duas vezes mais bilhetes do que os voluntários que não receberam o favor. Embora o estudo de Regan represente uma demonstração simples do funcionamento da regra da reciprocidade, ilustra diversas características importantes da regra que, a uma análise mais profunda, nos ajudam a entender como ela pode ser usada com proveito.

A regra é esmagadora. Uma das razões para a eficácia da reciprocidade como um dispositivo para obter o consentimento de outra pessoa é sua força esmagadora, muitas vezes capaz de produzir uma resposta positiva a um pedido que, não fosse a sensação de gratidão, com certeza seria recusado.

Um indício de como a força da regra consegue se sobrepor à influência de outros fatores que costumam determinar a satisfação de um pedido pode ser visto num segundo resultado do estudo de Regan. Além do seu interesse no impacto da regra da reciprocidade sobre o consentimento, Regan também estava investigando como a simpatia ou a afinidade por uma pessoa afeta nossa disposição de satisfazer um pedido seu. Para medir como a simpatia por Joe afetava as decisões dos voluntários de

> comprar seus bilhetes de rifa, Regan pediu que preenchessem diversas escalas classificatórias indicando quanto haviam gostado de Joe. Ele então comparou suas respostas com o número de bilhetes que haviam comprado. Foi descoberta uma tendência significativa: os voluntários que mais gostaram de Joe foram os que mais bilhetes compraram. Este dado em si não é uma descoberta surpreendente, já que a maioria de nós teria imaginado que as pessoas estão mais propensas a fazer um favor a alguém de quem gostam[5].

Agora você talvez me perguntasse: "Tá bom, Paulo. Mas como é que isso afeta as vendas?". Da maneira mais básica possível: a reciprocidade e a criação de um laço de empatia entre vendedor e cliente é o que determinará quem vende bem e quem vende mal. Pare um pouquinho para pensar. Quantas vezes você foi a uma loja só dar uma olhadinha e acabou adquirindo mais itens do que queria só por causa da simpatia do vendedor? Se ele ofereceu um cafezinho, pegou peças de roupas várias vezes e falou o seu nome com simpatia, você acaba criando um laço e se sente quase na obrigação de agradá-lo, já que ele lhe agradou tanto. Da empatia e da reciprocidade surgem todas as vendas.

"Ok, isso é fácil de fazer no mundo real. Mas como é que posso estabelecer laços on-line, situação em que tudo é

---

5 Robert B. Cialdini. *As armas da persuasão*: como influenciar e não se deixar influenciar. Rio de Janeiro: Sextante, 2012.

mais frio e distante?", você talvez questione. Pois bem. Aí é que entra o pulo do gato. Você faz isso por meio do marketing digital de relacionamento, uma ferramenta altamente eficaz e que determina se uma venda pela internet será convertida. Essa não é a minha área de atuação, por isso trouxe um grande parceiro e especialista no tema para me ajudar com este trecho do livro: Junior Crocco. Ele atua há sete anos com marketing digital e é o responsável por mudar a vida de clientes que, seguindo seus conselhos, conseguiram crescer em número de vendas, melhorar a percepção dos consumidores e aumentar seu valor de mercado. Hoje, o marketing digital de relacionamento é o que diferencia quem se destaca na internet de quem fica para trás. As páginas seguintes foram todas escritas pelo Junior e não poderia haver pessoa melhor do que ele para apresentá-lo ao assunto.

A falência do marketing tradicional

Antes de entrarmos no conceito, precisamos entender o que é o marketing em geral. O marketing está baseado em uma mensagem que sai de um comunicador e que deve chegar de determinado jeito e causar determinada sensação em um receptor. O esforço que você faz para que essa mensagem tenha o efeito que deseja no receptor é o marketing.

No marketing tradicional, você usa ferramentas como anúncios em *outdoors*, páginas de revistas e propagandas em televisão. No marketing digital, são usadas ferramentas on-line, desde as mais simples, como anúncios no Google, até as mais complexas, como as ações que criam processos automáticos de disparo de e-mail.

A diferença do marketing de sucesso feito na internet hoje não são exatamente as ferramentas usadas, mas o modo como a mensagem é transmitida. Tradicionalmente, quando pensamos em marketing, estamos falando sobre um tipo de comunicação cuja característica é chegar a uma pessoa sem que ela tenha pedido para ver essa determinada comunicação. Quando você está assistindo a um jogo de futebol na televisão, por exemplo, não é raro que apareça uma propaganda de cerveja – mas você não pediu para ver uma propaganda de cerveja, só queria ver o jogo de futebol. Essa mensagem que entra de repente na sua tela causa impacto, mas também gera desconforto, pois você não pediu para ver aquilo. Os marqueteiros sabem disso. Mas querem gerar alto impacto para conseguir gerar interesse – mesmo que, proporcionalmente, o interesse gerado seja menor do que o impacto gerado. Esse tipo de marketing é chamado de *outbound*, que significa, no jargão, "algo que vem de fora". Você não tem interesse em saber sobre uma nova cerveja quando está sentado diante da televisão, mas pode se interessar por ela porque está planejando, no futuro, um churrasco com os amigos. A TV não tem como saber disso, mas, por ter impactado 100% dos telespectadores de um jogo de futebol, atingirá uma porcentagem deles que se interessa – agora ou futuramente – por aquela bebida.

Só que esse tipo de estratégia está perdendo força, pois, cada vez mais, as pessoas escolhem não ver mensagens que são impostas a elas. Na internet, isso é a regra geral. Todos têm bloqueadores de anúncios em seus navegadores, filtros anti-spam poderosos e clicam em "pular anúncio" em um vídeo no Youtube assim que têm a chance. Quando adquirem um serviço tipo Spotify, a maioria prefere pagar para não ouvir propagandas a usar o serviço de graça que obriga a ouvir anúncios de 30 segundos. Ninguém mais tem paciência com o que é imposto. Aí entra o marketing *inbound*, ou o "que vem de dentro".

Você vê a quantidade de pessoas que bloqueiam anúncios, a quantidade de pessoas que pagam a mais para não ter propaganda, como no Spotify, em que as pessoas podem ouvir de graça desde que ouçam anúncios de 30 segundos ou que paguem a mais para ouvi-los. Com o Youtube é a mesma coisa: as pessoas se aborrecem com as propagandas antes dos vídeos.

As vantagens do marketing *inbound*

Quando alguém está fazendo uma compra, embarca em um período que chamamos de "jornada de compra", algo que pode ter uma duração de segundos, horas, dias, semanas, meses ou anos. Tudo depende do tipo do produto procurado e do estado de espírito do consumidor – se ele achará o produto certo na hora certa, ou seja, naquele momento em que se sente mais confortável para comprar.

Darei um exemplo. Pense em alguém que está interessado em uma nova geladeira. Hoje, temos acesso à informação na palma das nossas mãos, basta usar a internet. Por isso, nossa jornada de compras é feita, normalmente, on-line. Essa pessoa interessada na geladeira pesquisará o termo "geladeira" no Google, entrará em sites de *e-commerce*, fará cotações, entenderá sobre consumo de energia e a capacidade do produto, lerá resenhas on-line... Ou seja, munir-se-á de argumentos para tomar a decisão de compra. O mesmo vale, por exemplo, para quem está procurando um acessório esportivo, ou uma roupa de festa, ou um celular, ou um computador. Hoje, os clientes querem informação antes de adquirir algo. Só assim se sentirão seguros para efetuar uma compra. Sabendo disso, as empresas mapeiam a jornada de compra padrão de seus clientes e entregam-lhes o conteúdo que eles estão procurando. Esse é o marketing *inbound*.

Você, como vendedor, não pode ser apenas mais alguém que oferece um produto. Tem de ser alguém que oferece conteúdo e credibilidade para o cliente. Se você vende peças de máquina de lavar roupas, por exemplo, não pode simplesmente se gabar de ter o menor preço e o frete mais rápido. É preciso se posicionar como o grande especialista da internet naquele assunto e dar informações para seus consumidores. Como fazer isso? Pode ser um vídeo em que você ensina tudo sobre determinada peça e explica detalhadamente como instalá-la. Quem está procurando informações sobre aquela

Hoje, os clientes querem
informação antes
de adquirir algo.
Só assim se sentirão seguros
para efetuar uma compra.
Sabendo disso, as empresas
mapeiam a jornada
de compra padrão
de seus clientes
e entregam-lhes o conteúdo
que eles estão procurando.
Esse é o marketing inbound.

peça assistirá ao seu vídeo, entenderá como faz e perceberá que você é uma autoridade naquele assunto. Tudo isso gerará empatia, reciprocidade e confiança. Você não é a pessoa que vende, é aquela que detém informação, autoridade e condições de ajudar outra pessoa – e pode até cobrar um pouco mais caro pelo seu produto em razão disso. O marketing *inbound* é muito eficiente porque cria laços, confiança e relacionamento. Cada vez mais o candidato a comprador buscará mais informações espontaneamente e você tem de estar lá, posicionado com a autoridade naquilo que ele busca.

Talvez você esteja se perguntando: "como é que eu ganho com isso?". Bem, em primeiro lugar, você ganha em custos, pois existem ferramentas de marketing digital de relacionamento gratuitas, como publicadores de blogs em que você pode escrever artigos sobre seu produto ou serviço e o Youtube, em que, com um celular, você consegue gravar vídeos explicando tudo sobre aquilo que vende e agregando conhecimento para seus clientes. Isso é infinitamente mais barato do que uma propaganda em um jogo de futebol na televisão e muito mais perene, pois, uma vez publicado na internet, o conteúdo fica lá para sempre. Ou seja, você cria a informação uma vez e atinge milhões de pessoas sem precisar fazer novos investimentos. Uma empresa que consegue desenvolver um conteúdo de qualidade com uma agenda constante de publicações mostra que se preocupa com as inquietações e dúvidas de seu consumidor e que está lá para fornecer respostas.

Isso cria um relacionamento muito forte com o cliente, que passa a ver a empresa não só como a fornecedora de um produto, mas como a fornecedora de conhecimento.

O mais interessante é que esse tipo de marketing está ao alcance de todos: qualquer um pode, sem nenhum dinheiro no bolso, publicar um conteúdo on-line. Só tome cuidado para que esse conteúdo seja relevante e para não ficar travado. Muita gente tem medo do alcance do conteúdo e da imagem que passará para o mercado, mas isso costuma ser um receio desnecessário. Se você cuidar para que seu conteúdo seja de qualidade – e ele certamente será, pois não há melhor pessoa para falar de um produto do que o próprio empreendedor –, a resposta da internet será positiva e você se posicionará como uma referência no assunto.

Perca esse medo, pois, quanto antes você começar a fazer esse tipo de marketing, mas rápido terá resultados. O marketing de relacionamento não dá frutos da noite para o dia. É um investimento de médio prazo, pois depende da indexação do seu conteúdo no Google. Mas quando você já aparece na primeira página de busca a partir de determinada palavra-chave, seu negócio cresce muito e de uma maneira muito mais sólida do que se você só fizesse anúncios tradicionais. Não tenha tanta pressa e nem desista – é um relacionamento, e, como todo relacionamento, precisa ser cultivado todos os dias para que dê ótimos frutos.

8

A arte do desapego

Em muitos momentos, precisamos tomar algumas decisões difíceis. Uma delas, e que pode ser bastante dolorosa, é reconhecer que alguma coisa está dando errado e desistir dela. Isso é complicado porque, várias vezes, nós nos dedicamos demais a determinado produto ou ideia. Gastamos muito tempo e dinheiro em algo que simplesmente não vinga. Mas ficamos com a sensação de que é preciso dar um jeito de fazer aquilo dar certo, pois não podemos perder o que já foi investido. Então, ficamos lá, tentando ajustar, torcendo para que, dessa vez, a coisa funcione. E lá se vão mais tempo e dinheiro. Entramos em uma roda-viva: mesmo sem resultados, nos dedicamos mais e mais. Até que, um dia, acabam-se o dinheiro e o ânimo. E estamos de novo presos no círculo do fracasso.

Mas esse modo de agir não nos traz nada de bom além de ansiedade, insegurança e baixa autoestima. Sei que nem sempre é fácil abandonar algo que está dando errado, mas você precisa começar a praticar a arte do desapego se quiser se tornar uma pessoa bem-sucedida e fazer seus negócios começarem a prosperar de verdade. Ficar eternamente tentando ajustar um produto, serviço ou ideia que não vinga não o levará a lugar nenhum: dar murro em ponta de faca só machuca a sua mão. Por isso, quando perceber que aquele caminho não é o mais rentável, mude de direção e comece a testar uma nova ideia. Hoje, o mundo é totalmente aberto para esse tipo de atitude. No universo das *startups*, um dos mais rentáveis do momento, por exemplo, existe até um termo para quando alguém erra e começa a seguir uma nova trajetória: "pivotar", que significa, exatamente, girar e mudar a direção. Nesse universo veloz em que vivemos, ninguém mais espera que você fique o resto da sua vida andando na mesma trilha. Existe uma grande abertura para que cada um de nós mude de ideia, teste uma nova hipótese e, se necessário, comece tudo de novo. O importante é que você trabalhe o seu *mindset* para que desapegar seja uma constante na sua vida. E como fazer isso? Bem, existem algumas técnicas:

1. **Avalie a sua situação atual.** Aqui é preciso ter muita sinceridade para olhar o que você está enfrentando. Pense em tudo o que o impede de conquistar o que quer

e imagine como seria a sua vida se largasse o que o puxa para baixo e tentasse fazer outra coisa. Olhar para o que está acontecendo de ruim com você é o primeiro passo para se desapegar disso.

2. **Converse com outras pessoas.** Às vezes, por estarmos tão atolados em determinada situação, não conseguimos ter a dimensão real do que está nos prejudicando. Por isso, compartilhe sua história (e suas angústias) com pessoas nas quais você confia e peça conselhos sobre o que poderia mudar na sua vida para que as coisas melhorem.

3. **Analise se você está se autossabotando.** A primeira reação a essa frase é sempre dizer que não. Só que, algumas vezes, nós nos sabotamos e nem percebemos. Isso acontece quando, por exemplo, ficamos tão presos e focados em uma ideia fracassada que não há nada no mundo que nos faça entender que aquilo não dará certo, por mais que tentemos. Por isso, pense muito bem sobre as suas escolhas e decisões. Talvez algumas delas o estejam levando à autossabotagem.

Com essas análises em mente, fica mais fácil mapear o que está dando errado. E quando sabemos o que está dando errado e queremos que as coisas deem certo, tudo o que precisamos fazer é deixar para trás aquilo que está nos prejudicando. No caso dos negócios, o melhor jeito de avaliar o que nos prejudica é ver se aquilo está ou não gerando lucros. E o que gera lucros? O que vende, é claro! Então, comece a analisar o que está e o que não está vendendo no seu negócio, isso ajuda a saber com mais clareza do que você deve ou não desapegar.

Mudar para crescer

Existe uma história muito interessante sobre desapego, que vem dos Estados Unidos. Talvez você nunca tenha ouvido falar sobre Ray Kroc, mas ele foi o homem que transformou o McDonald's no império que conhecemos hoje. A vida de Ray foi marcada pelos desapegos e pela certeza de que, se algo pode dar mais dinheiro e sucesso, é melhor largar o que você já tem e partir para outra. Nascido em 1902, ele começou sua trajetória profissional na Primeira Guerra Mundial, aos 15 anos, trabalhando na ambulância da Cruz Vermelha – nos campos de batalha, travou amizade com Walt Disney, tão jovem quanto ele, com quem ficou em contato a vida toda. Quando a Guerra acabou, Ray voltou aos Estados Unidos para começar a trabalhar. Antes de encontrar a sua vocação, ele atuou em diversas áreas, como pianista em uma estação de rádio e vendedor de copos de papel. Mas sempre descartava o que não dava certo e partia para outra oportunidade. Quando era vendedor de copos de papel, começou a entrar em contato com o ramo dos restaurantes e percebeu

No caso dos negócios, o melhor
jeito de avaliar o que nos
prejudica é ver se aquilo está
ou não gerando lucros.
E o que gera lucros?
O que vende, é claro!
Então, comece a analisar
o que está e o que não está
vendendo no seu negócio,
isso ajuda a saber
com mais clareza do que
você deve ou não desapegar.

que ali talvez existisse uma grande possibilidade de ganhar dinheiro. Assim, deixou os copos um pouco de lado e trabalhou dentro de um restaurante, para aprender a fundo o negócio. Por ter entrado no ramo de alimentação, Ray acabou tendo contato com uma empresa que vendia máquinas para fazer *milk-shakes* e percebeu que rodar o país vendendo esse equipamento o faria ganhar muito mais dinheiro do que trabalhar no restaurante. Então, largou tudo e recomeçou. A estratégia não poderia ter dado mais certo: a partir do trabalho com essas máquinas é que Ray descobriria a sua verdadeira vocação, que misturava vendas e conhecimento no ramo dos restaurantes, no qual ele atuou por 17 anos. Ray rodava os Estados Unidos para comercializar o produto para diversas lanchonetes – estávamos na época do crescimento das lanchonetes que vendiam hambúrgueres, cachorros-quentes, sorvetes e que atraíam os jovens para comer, conversar e ouvir música.

As máquinas que Ray vendia eram muito modernas e ajudavam os restaurantes a aumentar sua eficiência, pois conseguiam produzir até cinco bebidas diferentes ao mesmo tempo. Em uma das suas viagens, aconteceu algo que mudaria a vida do vendedor. Ele conheceu, na Califórnia, uma lanchonete chamada McDonald's, chefiada por dois irmãos que emprestaram seus sobrenomes à empresa. Pois bem, aquela lanchonete tinha algo que Ray nunca vira e que o encantou totalmente: era um dos seus maiores clientes. E a compra das máquinas de *milk-shake* tinha tudo a ver com o espírito dos irmãos McDonald, que inventaram um jeito novo de fazer lanches: montaram uma linha de montagem. Isso pode parecer básico em qualquer restaurante hoje em dia, mas, nos anos 1940, era uma grande inovação. Grande mesmo, dessas de mudar o mundo. Ray conseguiu compreender o potencial daquela nova forma de trabalhar e decidiu que tinha, de todo jeito, que entrar nesse negócio não mais como fornecedor, mas como dono. Para isso, convenceu os irmãos McDonald de que o negócio deles tinha um potencial enorme de ser franqueado e que, se ele tivesse uma participação nos lucros da empresa, poderia tocar essa expansão por todo o país. Eles toparam. E, assim, começava a nascer o império do McDonald's. Ray, então, largou sua carreira de 17 anos como vendedor, desapegou de algo no qual ele já era muito bom e reconhecido simplesmente porque percebeu que ser responsável por franquear uma lanchonete com tanto potencial lhe traria muito mais dinheiro do que continuar vendendo máquinas de *milk-shake*.

Por ser muito ambicioso e visionário, Ray se distanciou da visão dos McDonald, que preferiam que a lanchonete continuasse como sempre foi e que, por isso, preferiram vender a marca para Ray, que se tornou dono do restaurante em 1955. A partir de então, o que o empresário fez foi manter o que era bom e funcionava (como a linha de montagem dos lanches), descartar o que não dava certo (a gestão muito familiar dos irmão McDonald, por exemplo) e implantar novidades que fariam a marca decolar (as mais importantes foram a automação e a padronização dos processos, pois Ray queria que o cliente tivesse a mesma experiência de atendimento e sabor em qualquer uma de suas lojas, um valor que perdura até hoje). Ray era muito inovador e sempre que uma ideia aparecia e se mostrava mais rentável do que algo que estava sendo feito antes, ele não demorava em substituir uma coisa por outra.

Esse espírito de procurar sempre o que é mais rentável fez o McDonald's crescer muito. Em 1984, quando Ray faleceu, a rede já operava em 31 países e tinha um valor de mercado de 8 bilhões de dólares – e ele, pessoalmente, tinha uma fortuna estimada em 500 milhões de dólares. Se não tivesse exercido a arte do desapego, começado uma carreira nova e deixado aquela oportunidade de negócio passar, Ray provavelmente haveria tido uma vida comum e não teria nem chegado perto de ser um milionário. Mas por mudar de rumo e decidir seguir o que daria mais dinheiro no longo prazo, ele transformou a sua vida – e o mundo.

Contei essa história porque acredito demais no valor do desapego. Ele vale, como a trajetória de Ray demonstra, não só para as coisas que estão dando errado, mas também para as coisas que podem dar ainda mais certo. Se você está fazendo algo que lhe dá um dinheirinho, mas enxerga uma oportunidade que pode lhe dar muito mais dinheiro, vá atrás dessa nova oportunidade. Claro que é um risco. Mas ficar preso ao que você já faz, ficar rodando em círculos dentro da sua zona de conforto não o levará a lugar nenhum. Quando a chance aparece, é preciso deixar o resto para trás e tentar conquistar mais do que já tem. Por isso, quero que você faça um exercício agora. Pense em três situações das quais você quer se desapegar e explique o porquê.

TESTE

Desapego #1

____

____

____

____

Qual é:

____

____

____

____

Por que quero desapegar:

____

____

____

____

Desapego #2

Qual é:

Por que quero desapegar:

Desapego #3

Qual é:

____

____

____

____

Por que quero desapegar:

____

____

____

____

Agora, liste duas boas oportunidades que você perdeu porque estava com medo de se desapegar e escreva como se sentiu ao perceber que perdera uma boa chance de dar uma guinada na sua vida.

Oportunidade #1

____

____

____

____

Oportunidade #2

____

____

____

____

Toda vez que sentir medo de desapegar, volte a esta página para refletir sobre seus sentimentos. O que você escreveu aqui o ajudará a não deixar mais que as oportunidades passem sem que você as aproveite. Já é hora de deixar o que não faz sentido para trás e arriscar. Já criei muitas coisas que deram errado até achar as que dariam certo. É isso que você precisa fazer também: jogue e tente. Uma das suas opções dará certo. E quando estiver vendo um dos seus cavalos disparar, deixe todos os outros para trás e foque nele. É ali que estará o seu dinheiro.

9

O sucesso é feito de pessoas

Uma das coisas mais importantes que aprendi durante a minha carreira é que, para conquistar o sucesso, você precisa de outras pessoas. Sempre. No começo, é claro, você não terá funcionários, mas precisará se relacionar com clientes e parceiros para alcançar o que deseja. Por isso, é preciso aprender a se relacionar bem com os outros. Grande parte do sucesso dos empreendedores, vendedores e líderes que se destacam está no modo como eles tratam seus clientes, parceiros, e, claro, funcionários. É só pelo engajamento dos outros que os resultados serão atingidos de maneira satisfatória. Pense, por exemplo, na seleção brasileira de futebol. Em 2014, com a Copa do Mundo em pleno Brasil, o time estava desmotivado, sem engajamento

Grande parte do sucesso
dos empreendedores,
vendedores e líderes
que se destacam está
no modo como eles tratam
seus clientes, parceiros,
e, claro, funcionários.
É só pelo engajamento
dos outros que os resultados
serão atingidos
de maneira satisfatória.

e, consequentemente, sem garra nenhuma – problemas que culminaram no terrível Brasil X Alemanha, em que nossa seleção perdeu de 7 a 1. Aquela equipe não era ruim tecnicamente. Afinal, tínhamos grandes nomes como Neymar e outros jogadores que se saem muito bem nos times em que jogam. O que faltava ali era motivação. E quem motiva? Essa é a grande função de um líder, é claro. Tite, então, chegou para arrumar a casa e nossa seleção melhorou enormemente. A razão? Além da competência técnica no esporte, o treinador é um excelente gestor de pessoas. E um dos aspectos em que ele se destaca é na motivação dos atletas. Tite deu uma entrevista para a revista *VOCÊ S/A* na qual comentou sua faceta de gestor – e a motivação foi um dos destaques da reportagem, que dizia o seguinte:

> Quando estão na seleção brasileira, os atletas têm um desafio específico: entregar bons resultados para uma instituição que não é sua empregadora. Estão jogando não pelo salário, mas por outra coisa. É aí que entra o desafio do técnico, que precisa identificar que "outra coisa" é essa. Tite sabe como fazer isso. Em seus treinamentos, ele apresenta uma série de slides contendo não só informações táticas, mas também emocionais. Em um deles, setas indicam gatilhos motivacionais. "Eu pergunto: o que te motiva mais? Sua valorização profissional, sua oportunidade de crescer, de ser melhor? Ou as razões pessoais? As de cunho pessoal são muito maiores do que as de cunho profissional, inevitavelmente", diz Tite. Com base nesse mapeamento dos gatilhos motivacionais dos jogadores, ele descobre como despertar a vontade de jogar em cada

um. "O Marcelo me contou que, desde os 17 anos, adora ser convocado porque sua família fica numa felicidade só", diz Tite sobre o lateral esquerdo do Brasil e do Real Madrid. "Muitos dizem que os jogadores são mercenários, que só jogam por dinheiro. Mas, na seleção brasileira, a maior motivação é dividir alegrias, é tirar foto com um menino que está feliz". Essa é a tal motivação intrínseca, que dá um propósito ao trabalho e que todo líder deve tentar despertar em sua equipe. "O que Tite faz é resgatar o prazer de jogar, fechar o grupo e extrair a essência dos grandes talentos", diz Edmarson Bacelar Mota, coordenador do MBA em gestão estratégica de pessoas, da Fundação Getulio Vargas do Rio de Janeiro.

Para isso, o treinador tem duas técnicas: conversar muito com seus liderados, para entender quem são essas pessoas; e proteger seus atletas, o que cria vínculos fortes. Na seleção, em que há mais tempo e recursos disponíveis, isso pode parecer fácil. Mas a estratégia de Tite dá certo mesmo quando ele tem de fazer mais com menos. Foi o que aconteceu no primeiro semestre de 2016, quando o Corinthians, campeão brasileiro de 2015, foi desmontado pela venda de jogadores ao futebol chinês. Naquele momento, a tarefa de Tite era animar quem continuaria no elenco. "Quando enfrentava situações como essa, meu papel era motivar pela segurança, demonstrando que os atletas estavam prontos para assumir mais responsabilidades", afirma Tite[6].

---

6 *Revista VOCÊ S/A*, janeiro de 2017, ed. 224.

É só com a motivação que conseguimos o que queremos. Os atletas que compõem uma seleção de futebol sempre serão os melhores, pois o técnico pode convidar quem ele quiser. Mas isso não significa que o time terá, necessariamente, sucesso. Os bons resultados só aparecem quando se une a competência técnica à motivação. Nas empresas é a mesma coisa. Como empreendedor, você tem de ser o mais motivado em vender e produzir seu produto ou serviço. Esse seu brilho nos olhos é que contagiará a sua equipe, os seus parceiros e os seus clientes.

Por que a Apple se tornou uma marca mundialmente conhecida, desejada por milhões de consumidores e admirada por milhares de profissionais? Porque quando a gente via Steve Jobs apresentando um novo produto de sua empresa, percebíamos o amor que ele sentia por tudo aquilo. As apresentações eram emocionais, totalmente permeadas de engajamento. Nós víamos naquele líder uma vontade imensa de mostrar ao mundo como o novo produto era incrível e ele só se tornava tão incrível porque, por trás de tudo, havia uma equipe altamente comprometida a desenvolver aquela tecnologia, e, claro, a vendê-la.

No mundo das vendas, o engajamento não é só um aspecto importante, é um aspecto fundamental. Sem engajamento, seu faturamento vai para o buraco. E aqui é preciso ficar atento porque você deve se esforçar para motivar e engajar dois grupos: os clientes e os seus funcionários. Quando a ligação dos dois à sua marca é forte, você fará sua plataforma de vendas decolar.

Como engajar consumidores

Os clientes são essenciais para o seu negócio e eles precisam, hoje, mais do que nunca, enxergar valor na sua marca ou no seu produto. As compras só são efetuadas quando aquela pessoa compreende que o que está adquirindo tem um custo-benefício alto para ela naquele momento. E não estou falando de produtos caros. Quando alguém compra um perfume, por exemplo, e não tem dinheiro para adquirir um Chanel n. 5, ela escolherá outro perfume que entregue, com o orçamento de que dispõe, o melhor custo-benefício. Por isso, pense bem no seu preço. O preço importa muito! Você deve se esforçar para que o preço estabelecido seja o menor possível – técnica que ajuda a aumentar o volume das vendas.

Além disso, é importante deixar a sua marca aparecer. Crie um site para aquilo que você está vendendo e coloque ali todas as características do produto (todas mesmo!), ilustre com fotos e crie um canal para que o consumidor possa fazer perguntas e comentar o produto. Assim, quem gostar elogiará e atrairá novos clientes. Quem não gostar pode lhe dar *feedbacks* importantes para que melhore o que está vendendo. Claro que, para os que atuarão em um *marketplace*, essa interface será criada pela marca na qual seu produto está sendo vendido, mas é importante acompanhar a reação dos consumidores. Quanto mais você conhece seus clientes, mais tem oportunidades de melhorar a sua atuação.

Como engajar sua equipe

Motivar as equipes não é tão fácil assim. Tanto que, de acordo com uma pesquisa feita pela consultoria Deloitte, em 2015, com 2.500 líderes de RH de 94 países, somente 13% dos funcionários estão engajados[7]. O número pode ser um pouco desanimador mesmo, e, como empreendedor, sua função é garantir que as pessoas que trabalham com você estejam motivadas para entregar o que for necessário – e isso é ainda mais importante no time de vendas, que está na linha de frente, garantindo que os produtos sejam comercializados e que a empresa conquiste lucros. Mas existem algumas maneiras de aumentar a motivação dos funcionários.

Acredito muito na recompensa financeira. Para o pessoal de vendas, por exemplo, sugiro que o salário variável tenha um percentual da composição final da remuneração maior do que o salário fixo, assim eles se esforçam mais para bater as metas e entregar resultados. Quanto melhor o vendedor, melhor o salário que ele terá. E você terá uma métrica para saber quais são os melhores e os piores – então, é só nivelar por cima e deixar apenas os melhores trabalhando para você. O dinheiro engaja de um jeito muito rápido. Mas não é o bastante. Os funcionários precisam sentir que trabalham por um propósito – que pode ser melhorar a vida dos clientes,

---

7 Disponível em: <http://economia.ig.com.br/2017-06-12/empresa-engajamento-equipe.html>. Acesso em jul. de 2017.

transformar o mercado ou, dependendo do produto, até mudar o mundo. Mas esse propósito deve ser bem claro. E você é o responsável por isso. Então, tenha claro para você mesmo qual é o propósito da sua companhia. Quando isso está no seu coração, demonstra naturalmente aos seus funcionários. E aí a engrenagem de vendas funciona com muita tranquilidade, pois as bases para a sua plataforma de faturamento estão totalmente sólidas. A base, é claro, são as pessoas. Elas são suas sócias rumo ao sucesso. Nunca se esqueça disso.

10

A busca comum

No começo da nossa jornada juntos, pedi algumas vezes que você pensasse nos seus objetivos pessoais. Se reunirmos todos os leitores deste livro, haverá centenas de metas diferentes, o que é muito compreensível, afinal, cada um de nós quer conquistar determinado sonho. Mas tenho certeza de que, se analisarmos essas metas profundamente, vamos perceber que todas, sem exceção, têm algo em comum: a vontade de ser feliz e de amar. E aqui não estou falando de uma paixão romântica, não é nada disso. Estou falando de uma paixão por algo que o move, que o faz se sentir melhor consigo mesmo, que o faz deitar sua cabeça no seu travesseiro à noite e mantenha-o tranquilo e feliz porque você sente que está no caminho certo. Procurar pelo amor em todas as facetas de nossa vida é humano e essencial para que permaneçamos felizes e motivados para conquistar sempre mais. Tudo o que todos os homens e as mulheres querem é amor.

Agora você deve estar se perguntando: "Tá bom, Paulo, já entendi que todo mundo quer amor, mas o que é que amor tem a ver com vendas e com o meu negócio?". Pois a resposta é: tudo! Qualquer cliente está sempre em busca do amor e da felicidade quando adquire um produto, não importa qual seja. Quando uma pessoa faz uma compra, por trás dessa atitude sempre está uma esperança de que as coisas melhorarão e que algo de bom acontecerá na vida dela. As vendas são o meio mais rápido e direto de as pessoas conquistarem o que desejam, é humano e essencial. Por isso, vender é sempre o coração de uma empresa: as vendas conectam as pessoas de uma maneira muito direta e eficiente.

Nós falamos sobre Steve Jobs no capítulo anterior e não há como deixar de citá-lo agora, pois a Apple é uma das empresas que melhor exemplificam essa tese de que as vendas são nada menos do que o amor em uma de suas mais variadas formas. Você já deve ter visto inúmeras vezes as filas que se formam na entrada das lojas da Apple pelo mundo inteiro quando um novo Iphone está sendo lançado – e há quem até vira a madrugada para ser um dos primeiros no mundo a ter o novo produto da companhia fundada por Steve Jobs. Por que essas pessoas fazem isso? Porque estão em busca de uma felicidade que, nesse caso, é representada por um *smartphone* com *design* e funções inovadoras. Porque acreditam que aquele produto lhes dará amor.

Muita gente fala mal das vendas, mas o que essas pessoas não percebem é que vender é distribuir amor. Quando um cliente compra algo que faz sentido para ele e que melhora a vida dele, está se tornando uma pessoa muito mais feliz e, consequentemente, espalhará mais amor e felicidade pelo seu caminho. Para conectar com os clientes nesse nível de amor, é preciso primeiro compreender quais são os desejos dessas pessoas, entender o que elas amam e o que detestam. Se você for parar para pensar, esse tipo de raciocínio não é muito diferente do modo como agimos quando queremos conquistar alguém pessoalmente, de maneira romântica. No livro *A psicologia das vendas:* a arte de fechar negócios (Nightgale Conanant), o especialista em vendas e em motivação Brian Tracey dá algumas dicas muito interessantes sobre os motivos que levam as pessoas a comprar e mostra que tudo está baseado na emoção. Ele diz o seguinte, em uma tradução livre da edição em inglês de seu livro:

> É importante entender que as pessoas compram pelas razões delas e não pelas suas (...) Todas as decisões de compra são emocionais. Se nós dizemos que vamos comprar algo por uma razão lógica, isso quer dizer que nós temos mais emoções envolvidas nessa compra do que qualquer outra pessoa (...)
>
> A regra básica nas vendas é que as pessoas não compram produtos, elas compram benefícios. E o seu trabalho na hora de conversar com um cliente é descobrir

> quais são os benefícios pelos quais a outra pessoa está disposta a pagar. Você consegue compreender as necessidades fazendo perguntas e ouvindo com atenção. Se você deixar as pessoas falarem por um momento, elas vão contar para você quais são suas necessidades ou preocupações em relação ao produto. (...)
>
> O sucesso de fechar uma venda depende da habilidade do vendedor em descobrir a razão mais importante para que aquele cliente compre o produto.

Agora você já sabe qual é essa razão: a vontade de amar e de ser feliz. Isso vale para qualquer coisa. Quando eu era funcionário do Banco Nacional e e atuava como vendedor de produtos importados e populares nas horas vagas, via o brilho nos olhos de um colega quando ele finalmente pegava nas mãos aquele par de tênis de marca que tanto desejou. Isso era felicidade pura. Era a vontade de ser feliz. E é isso que você deve manter na sua cabeça quando estiver vendendo algo: sempre buscar o brilho nos olhos dos clientes. Quando a chama acender, é porque está na direção correta.

Gatilhos mentais

Para essa tal chama se acender, você precisa tomar algumas atitudes. Uma delas você já aprendeu: conhecer seu cliente. É necessário que todos os empreendedores entendam por que seus clientes compram seus produtos, quais são os anseios, desejos e inseguranças dos consumidores. Só assim é possível desenvolver estratégias que se alinhem ao que os clientes realmente desejam. Mas existe um conceito em vendas chamado de gatilhos mentais, que instiga as pessoas a fechar negócios. Há inúmeros desses gatilhos, mas sete deles você deve conhecer, são os que mais fisgam as pessoas para as vendas. São eles:

1. **Afinidade.** É quando você tem algo em comum com o seu público consumidor e mostra para ele que pode ter a solução para um problema que também precisou enfrentar. Esse gatilho aciona a empatia porque o cliente costuma gostar de quem já teve a mesma dor que ele está sentindo agora e confiar nas informações daquela pessoa, pois ela já esteve do outro lado.

2. **Razão.** Lembra quando falei que os produtos devem estar sempre muito bem descritos para os clientes? Pois então, o motivo para isso se relaciona ao gatilho mental da razão. Quanto mais ferramentas você dá para seu cliente, mais embasada a compra dele fica e o poder de decisão fica mais bem direcionado. Embora as compras sempre tenham sua dose de emoção, os clientes costumam mesclar o lado emocional com o racional para decidir.

3. **Segurança.** Sentir-se seguro é crucial para fechar um negócio, seja qual for. Porém, na internet, isso se torna ainda mais importante porque as pessoas não estão interagindo com um vendedor de carne e osso, mas tomando uma decisão solitária com o auxílio de uma máquina. Por isso é tão importante haver algum tipo de informação que

É necessário que todos os empreendedores entendam por que seus clientes compram seus produtos, quais são os anseios, desejos e inseguranças dos consumidores. Só assim é possível desenvolver estratégias que se alinhem ao que os clientes realmente desejam. Mas existe um conceito em vendas chamado de gatilhos mentais, que instiga as pessoas a fechar negócios.

mostre para o potencial cliente que aquele produto, serviço ou loja são confiáveis. Podem ser resenhas de outros clientes ou pesquisas que comprovem que aquele produto solucionou determinado problema.

4. **Reciprocidade.** Quando você ganha um presente de um amigo querido ou quando alguém faz algo que gera valor na sua vida, é normal que queira retribuir. O mesmo acontece com vendas; se você der o máximo de informações para o seu cliente, ajudá-lo com todas as dúvidas e informações e gerar algo de valor para ele, é você quem ele procurará na hora de efetuar a venda.

5. **Surpresa.** Melhor do que atingir as expectativas do seu cliente, é conseguir superá-las. Usar do elemento surpresa como um brinde, por exemplo, é o que o fará se destacar entre os diversos outros vendedores do seu cliente. Se o resultado final for ainda melhor do que o esperado inicialmente, a satisfação em relação à compra aumentará na mesma proporção ou até mais.

6. **Autoridade.** Para convencer o seu comprador, é necessário que você reúna o máximo de informações possíveis sobre o assunto, ou seja, tenha autoridade com o que se fala. Mesmo que não seja um especialista no assunto (por exemplo, se você estiver vendendo algum produto relacionado a exercícios e não tenha estudado o suficiente sobre isso), procure um profissional do assunto para auxiliar na sua venda. O ponto principal desse gatilho é transmitir segurança e confiança para o cliente.

7. **Escassez.** Você já deve ter ouvido a afirmação segundo a qual só damos valor depois que perdemos, correto? Isso também deve ser aplicado nas vendas. Escassez causa a sensação de urgência no comprador, ou seja, ele precisa daquilo naquele momento, antes que acabem os estoques e ele perca a chance de adquirir o produto. A ideia genial desse gatilho é estimular o cliente a tomar uma decisão que seria adiada, e, com isso, fechar o negócio.

Ao trabalhar com esses sete gatilhos, você consegue agarrar seu cliente pelos aspectos mais básicos das relações humanas: pela afinidade (gosto de você porque já viveu o que eu vivi), pela razão (gosto do que você está me oferecendo porque usar seu produto/serviço faz um sentido lógico para a minha vida), pela segurança (gosto de você porque não me trairia nem me decepcionaria), pela reciprocidade (comprarei com você, pois foi atencioso e bom vendedor comigo), pela surpresa (estava esperando uma coisa e recebi algo muito melhor), pela autoridade (confio em você, pois conseguiu me passar credibilidade e o máximo de informações) e pela escassez (comprarei agora, pois o produto é tão bom que pode acabar). Quando esses gatilhos estão acionados, as vendas se concretizam, e, consequentemente, o amor e a felicidade se espalham. Vender é humano, por isso é algo que você deve adotar na sua empresa. Senão, estaria indo contra a sua natureza. E a consequência dessa atitude é sempre o fracasso.

11

Crença nas pessoas

Estamos encerrando nosso relacionamento juntos aqui nestas páginas. Eu e você criamos um laço, nós nos conhecemos ao longo da leitura e estabelecemos uma relação, certo? Pelo menos é assim que me senti ao escrever este livro: o tempo todo percebia que estava conversando com alguém aí do outro lado, falando com uma pessoa excepcional que me procurou porque estava desesperada para aumentar o faturamento de uma empresa já existente ou falando com uma pessoa esperançosa que quer aprender tudo o que puder antes de empreender. Seja qual for o perfil, sentia que estava criando um relacionamento com um(a) leitor(a). E não estou usando a palavra "relacionamento" aleatoriamente. Eu a escolhi porque ela é a base de todas as interações humanas e, como não poderia deixar de ser, um dos grandes pilares dos negócios.

Sempre fui um cara que gosta de pessoas, genuinamente. Gosto, de verdade, de ouvir os outros, de entender quais são os problemas pelos quais estão passando, de olhar nos olhos e de tentar ajudar. Esse comportamento sempre me ajudou em toda a minha vida. Se não tivesse olhado os outros de frente e me interessado pelas histórias deles, não teria começado a vender produtos importados, não teria percebido que a internet era um mundo enorme de oportunidades e não teria chegado até aqui.

O que quero dizer com tudo isso é que você também precisa se envolver com as pessoas – mesmo nas vendas on-line! Afinal, do lado de lá de um computador ou *smartphone* há um ser humano que tem as suas próprias angústias, medos, ansiedades e desejos. E você, se entender isso, conseguirá se conectar com essa pessoa e fechar mais negócios. Tudo nesse mundo está baseado nos relacionamentos, e, quanto mais humildade tiver para lidar com os outros e compreender que eles têm muito a contribuir com você, mais faturará.

É um ciclo virtuoso: você se interessa pelo outro, o outro se interessa por você e, consequentemente, vocês fazem um negócio juntos. No fim do dia, tudo se resume às pessoas. Empresas não são números de CNPJ e impostos a pagar. Empresas são os fundadores, os funcionários e os clientes.

Sei que isso pode até parecer bobo, mas é importantíssimo e de que muita gente se esquece. Quando converso com empresários que estão com problemas, percebo que a maioria se esqueceu de que, por trás dos números, estão as pessoas. E quando isso acontece, o perigo é enorme, pois só se enxergam indicadores, problemas, gráficos, planilhas, contas a pagar, dinheiro que não entra... E, de repente, percebe-se que a companhia está, de novo, presa no ciclo do fracasso, do qual ela nunca consegue sair de verdade. E nunca sairá mesmo, se não olhar para as pessoas. São elas que fazem a diferença, seja produzindo e vendendo algo, seja consumindo. Foi só por haver cultivado com muito carinho, amor, humildade e dedicação as relações com as pessoas que estavam do meu lado que cheguei até aqui. Por isso, não subestime o poder dos laços pessoais: ele é enorme!

Comece a olhar à sua volta. Pense em quem está com você em todos os momentos difíceis. Pense em quem o ajuda, lhe dá suporte, acredita em você e o faz levantar todas as manhãs. Pense nessas pessoas. É para elas que você tem de trabalhar. Agora, pense nos seus funcionários (ou naqueles que terá no futuro), pense em como pode ajudá-los, em como o crescimento da sua companhia os deixará felizes e satisfeitos. Pense, agora, nos seus clientes, em seus desejos, necessidades, anseios. Pense que, por trás de cada uma das suas vendas, está ajudando uma rede enorme de pessoas – porque cada um tem, por trás, dezenas de pessoas que considera importantes e que se sentem felizes quando nós nos sentimos felizes.

Por isso, cultive mais as relações com as pessoas. Nunca na história nós estivemos tão conectados, mas precisamos resgatar o poder dessas conexões, aumentar a sensação de que alguém do outro lado se importa com os outros. Por que a Amazon é tão cultuada e vale bilhões de dólares? Porque um dos seus maiores valores é o foco nas pessoas, nos clientes. Se você tem um problema com um produto, uma pessoa de verdade responderá à sua solicitação. Se você quer trabalhar na Amazon, você terá de, necessariamente, passar um tempo no treinamento do atendimento – independentemente do seu cargo! Por que eles fazem isso? Porque é ali que está o coração da empresa: no relacionamento entre uma pessoa que quer vender e outra que quer comprar. Se esse laço de confiança é rompido, qualquer companhia terá enormes dificuldades. A Amazon entende que tudo gira em torno dessa relação, que nada mais é do que uma boa relação de vendas. Jeff Bezos, o fundador da companhia, costuma dizer que é por isso que a Amazon se destaca no mercado: "Se existe uma razão pela qual nós nos saímos melhor do que os nossos concorrentes na internet, é o foco que temos como um *laser* na experiência do usuário, e isso realmente importa, eu acredito, em qualquer negócio. E certamente é importante on-line, em um mundo em que o boca-a-boca é muito, muito poderoso"[8].

8 Disponível em: <https://www.referralcandy.com/blog/jeff-bezos-quotes/>. Acesso em jul. de 2017.

A Amazon, mesmo de cima de seus bilhões de dólares, acredita que o relacionamento é crucial. Se eles acreditam, por que não acreditaremos também? O meu objetivo com este livro foi fazê-lo entender isto: vendas é um comportamento que você tem de adotar o tempo todo. Quanto mais pessoal você o fizer, melhor para os negócios. Olhe nos olhos, ouça com sinceridade, adote um comportamento de vendedor o tempo todo. Isso transformará a sua empresa em uma máquina de faturamento e a deixará pronta para entrar na plataforma do futuro. Quando o seu olhar muda dos números para as pessoas, você ajusta todos os problemas e consegue se tornar um excelente empresário. Com isso, todos ganham: você, os seus clientes, os seus fornecedores, e, é claro, os seus funcionários. Do ciclo de fracasso, você cai diretamente no ciclo de riqueza. Sei que você está pronto para essa guinada. É só começar com muito amor, fé, foco e muita crença nas pessoas – principalmente em uma das pessoas mais importantes do mundo: você mesmo.

Tudo o que você precisa fazer para construir seu império é acreditar mais em você – nunca se esqueça das palavras da Declaração do Novo Eu: você tem as características do vencedor que nasceu para ser – e ouvir mais os sinais do Universo. Costumo dizer que o Universo nos manda sinais o tempo todo, e o segredo das pessoas bem-sucedidas é escutar esses sinais. Todas as respostas de que precisamos para as nossas vidas estão ao nosso redor. Só que a maioria das pessoas está surda e cega para as energias que o Universo emite para nós. Algumas

O meu objetivo com
este livro foi fazê-lo
entender isto: vendas é
um comportamento
que você tem de adotar
o tempo todo.
Quanto mais pessoal
você o fizer,
melhor para os negócios.

delas, no entanto, estão bem atentas e conseguem perceber se estão indo em direção ao sucesso ou em direção ao fracasso. O Universo fica em silêncio quando estamos indo para o caminho do fracasso, cometendo erros e nos distanciando dos nossos objetivos, e aplaude quando estamos na direção correta. Você só precisa apurar seus instintos para ouvir o que o Universo tem a lhe dizer. Saber perceber os sinais é poderosíssimo, e o segredo por trás do sucesso de gente que, como eu, cresceu a partir da pobreza. O sofrimento nos obriga a desenvolver um instinto de sobrevivência e nos torna mais sensíveis para os sinais do Universo. Por isso, use a sua dor para apurar os seus sentidos. O Universo começará a conversar com você, e, assim que ouvir os aplausos, saberá que está na direção do sucesso. Se você chegou até esta página, já está no caminho correto. Abra bem os seus ouvidos: o Universo já está lhe aplaudindo.

Antes de encerrar, quero compartilhar uma das coisas mais importantes para mim: a importância de sonhar.

Você já deve ter ouvido falar do astronauta Marcos Pontes, o primeiro brasileiro a ser enviado para o espaço. Em suas palestras, ele conta que, antes de o foguete ser lançado, ele teve somente 30 minutos para se despedir de sua família. Tente imaginar o que passou na cabeça dele. Ele não saberia se um dia voltaria à Terra para ver seus filhos novamente, e meia hora é pouquíssimo tempo para expor tamanha carga emocional.

Se eu estivesse na mesma situaçao dele e tivesse apenas 30 minutos para me despedir, eu falaria, olhando nos olhos de cada um deles, para nunca deixarem de **sonhar**. Sim, só isso: sonhar, sonhar e sonhar. Quando sonhamos, vêm o desejo e a ambição do que almejamos para nossa vida. É o sonho que dá cor e propósito à nossa caminhada e, a cada passo que damos com fé no que queremos, o Universo conspira para que dê certo e nosso sonho torna-se realidade.

Então, no último parágrafo do meu livro, é isso que quero desejar a você, empresário: sonhe, tenha ambição e acredite que é possível, pois acredito em você! Mergulhe de cabeça no seu objetivo, foque e tenha fé no seu trabalho. Use diariamente tudo o que aprendeu neste livro e os resultados virão.

Tenho certeza de que vamos nos encontrar no topo do sucesso.